D0989327

Amos Daragon,
Al-Qatrum

Dans la série Amos Daragon :

Amos Daragon, porteur de masques, roman, 2003.

Amos Daragon, la clé de Braha, roman,2003.

Amos Daragon, le crépuscule des dieux, roman, 2003.

Amos Daragon, la malédiction de Freyja, roman, 2003.

Amos Daragon, la tour d'El-Bab, roman, 2003.

Amos Daragon, la colère d'Enki, roman, 2004.

Romans pour adultes chez le même éditeur :

Pourquoi j'ai tué mon père, roman, 2002.

Marmotte, roman, réédition, 2002 ; première édition, 1998, Éditions des Glanures.

Mon frère de la planète des fruits, roman, 2001.

Bryan Perro

Alexandre Girard

Al-Qatrum

les territoires de l'ombre

LES INTOUCHABLES

Les Éditions des Intouchables bénéficient du soutien financier de la SODEC, du Programme de crédits d'impôt du gouvernement du Québec, du PADIÉ et sont inscrites au Programme de subvention globale du Conseil des Arts du Canada.

LES ÉDITIONS DES INTOUCHABLES
1463, boulevard Saint-Joseph Est
Montréal, Québec
H2J 1M6
Téléphone : (514) 526-0770
Télécopieur : (514) 529-7780
info@lesintouchables.com
www.lesintouchables.com

DISTRIBUTION : PROLOGUE
1650, boulevard Lionel-Bertrand
Boisbriand, Québec
J7H 1N7
Téléphone : (450) 434-0306
Télécopieur : (450) 434-2627

Infographie et maquette de la couverture : Benoît Desroches
Illustration de la couverture : Jacques Lamontagne
Illustration à l'intérieur : Alexandre Girard

Dépôt légal : 2004
Bibliothèque nationale du Québec
Bibliothèque nationale du Canada

ISBN 2-89549-153-4

Aux fans d'Amos Daragon,
créatures fantastiques de notre monde

Bryan Perro

Au cœur aimant d'Eugène

ALEXANDRE GIRARD
www.faerik.com

756 ans après la première
grande guerre des dieux

À celui ou celle qui lira ce livre,

Je me nomme Virak Ak Al-Qatrum, chercheur à l'Académie du savoir universel et complet des sciences globales et appliquées du pays d'Atrum. Je suis le professeur en charge du cours « races et cultures » offert depuis près de cinq mille ans à notre institut.

Dans le cadre de mes travaux de recherche, j'ai voyagé partout dans le monde afin de renouveler les connaissances de mon peuple et de produire un manuel pour nos étudiants. Parce que les jeunes elfes ont une soif intarissable de comprendre le monde et une curiosité innée pour les voyages, un nouvel ouvrage plus à jour s'imposait. Carnets et plume en main, j'avais donc quitté la grande forêt de mes ancêtres pour aller à la rencontre des peuples et des cultures.

Au terme de soixante-douze ans de voyage, je rapporte le fruit de mes recherches. C'est non sans peine que j'ai réussi à revenir parmi les miens afin de poursuivre mon enseignement et de raconter mes aventures.

Les copistes qui travaillent au service de l'Académie auront la difficile tâche de retranscrire mes notes et mes dessins pour rendre ce livre accessible au plus grand nombre de royaumes elfiques.

Pour rendre justice à mon travail, je ne vous demande qu'une seule faveur. Ce bouquin doit impérativement rester entre les mains des elfes et ne doit, en aucun cas, être laissé aux humains ou humanoïdes de ce monde. Comme l'étude des sciences, et surtout celle des cultures et des peuples, ne fait pas partie de leurs mœurs, ceux-ci pourraient s'en servir à des fins guerrières. Tous les êtres elfiques savent que c'est par la connaissance des forces et des faiblesses d'une race ennemie que l'on gagne la guerre. Ne leur donnons pas d'autres outils pour attiser la violence et la haine, et agissons de façon responsable. Nous sommes la race supérieure, ne l'oublions pas!

En espérant que mon travail vous ouvre à une meilleure compréhension du monde, je vous souhaite une bonne lecture.

Virak Ak Al-Qatrum

Virak Ak Al-Qatrum,
professeur de «races et cultures»,
chercheur à l'Académie S.U.C.S.G.A.,
médaillé de l'archivage des terres
d'Atrum et maître en lycanthropie

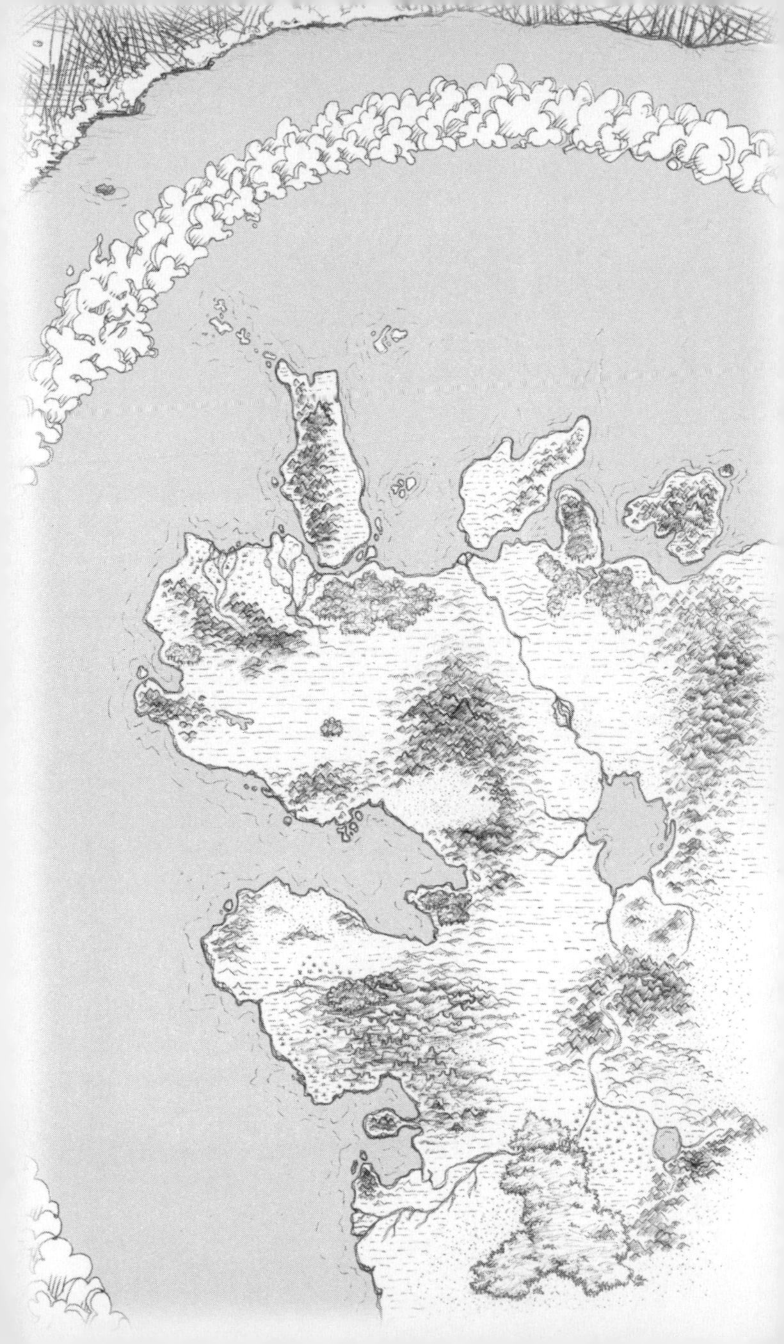

La Grande
Homme Gris
Ramusberget
Gonnor
mer des Deltas
Vikings de l'Ouest
Wassolia
territoire de Wassali
la Terre Verte
Upsgran
forêt des Pins Gris
océan Sans Fin Nord
les Sommets Venteux
territoires Vikings
Izanbred
Lavanière
Quinze royaumes des Chevaliers
Myon
bois de Tarkasis
Grands-Vallons
Olilae
Berrion

Barrière

mer du Nord

Krakov

Vikings de l'Est

forêt Rouge

Bhogavati

Volfstan

forêt Jaune

Atrumalik

pays d'Atrum

forêt Bleue

terres Barbares

Hyperborée

cité de Pégase

les Salines

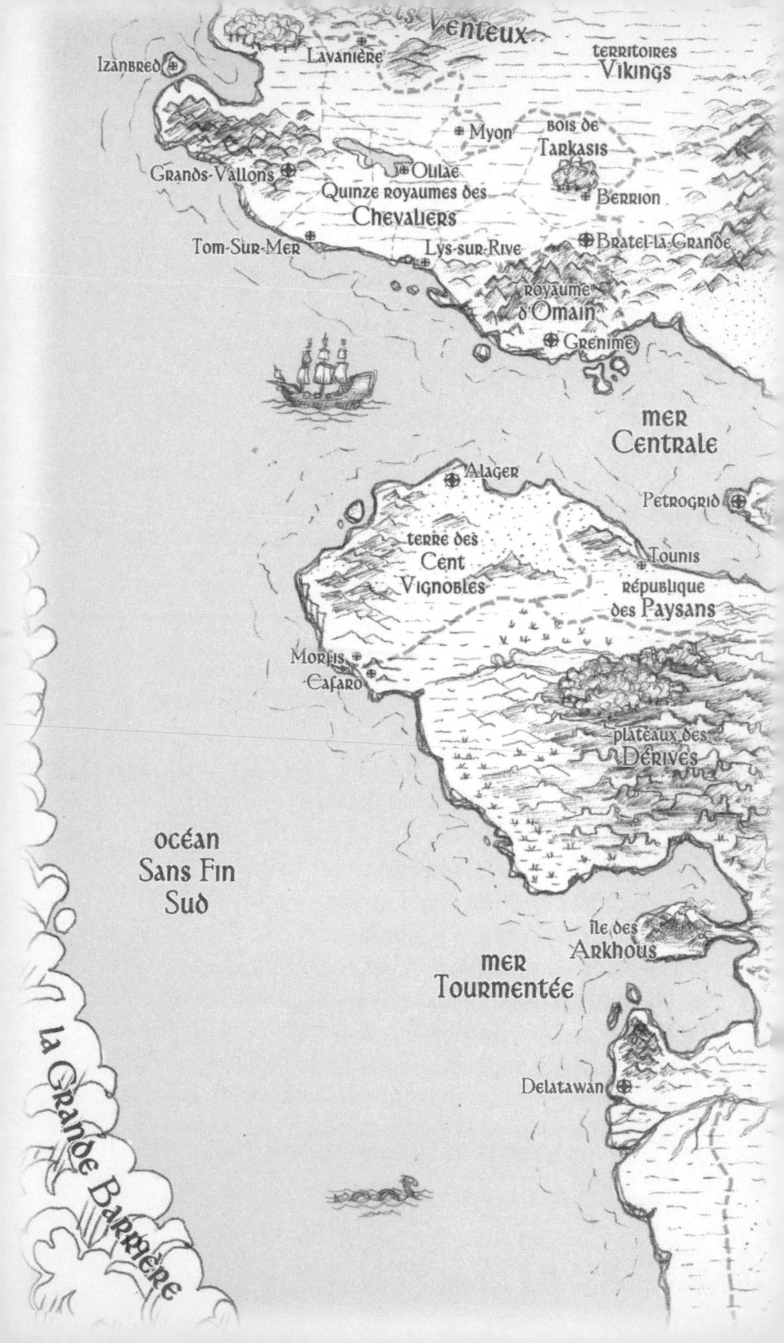
Venteux
Lavanière
territoires
Vikings
Izanbred
Myon
bois de
Tarkasis
Grands-Vallons
Olilae
Quinze royaumes des
Chevaliers
Berrion
Tom-Sur-Mer
Lys-sur-Rive
Bratel-la-Grande
royaume
d'Omain
Grenime
mer
Centrale
Alager
Petrogrid
terre des
Cent
Vignobles
Tounis
république
des Paysans
Morfis
Cafaro
plateaux des
Dérives
océan
Sans Fin
Sud
île des
Arkhous
mer
Tourmentée
Delatawan
la Grande Barrière

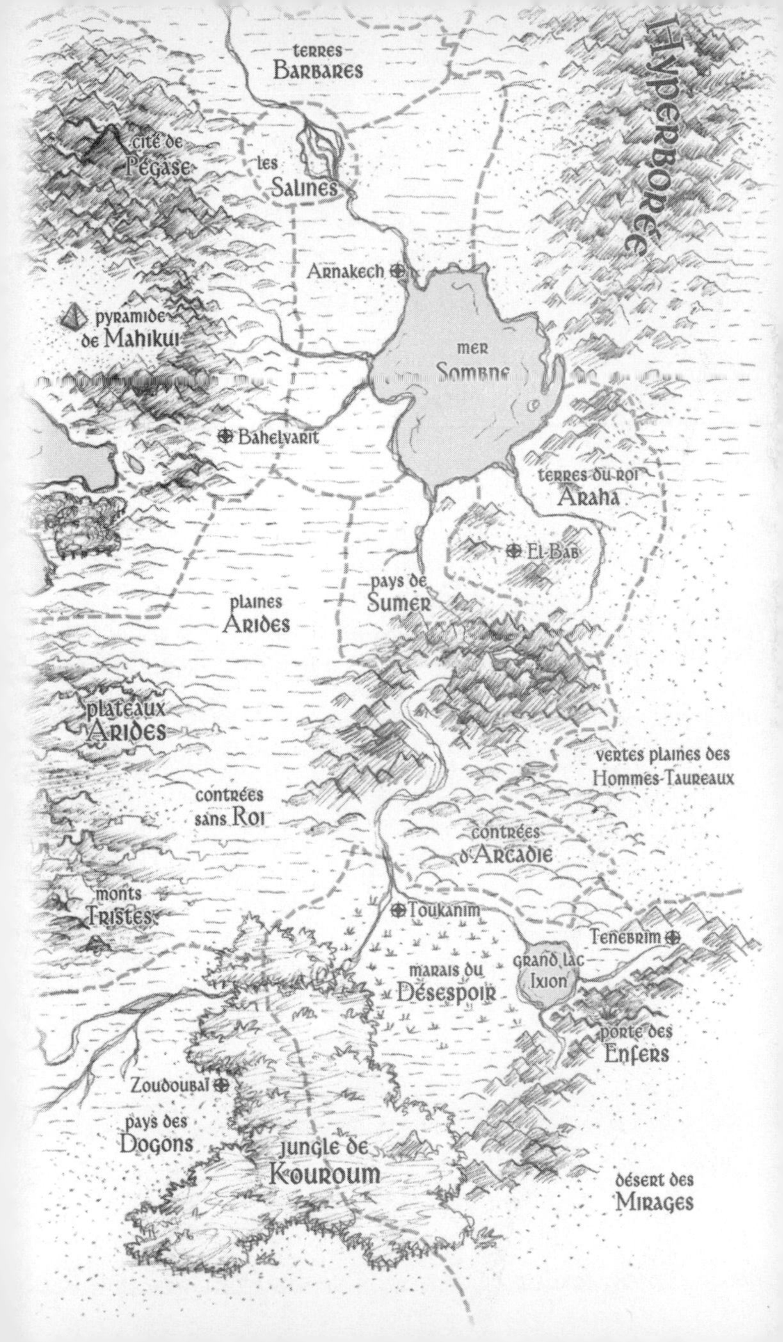
terres Barbares
Hyperborée
cité de Pégase
les Salines
Arnakech
pyramide de Mahikui
mer Sombre
Bahelvarit
terres du roi Araha
El-Bab
pays de Sumer
plaines Arides
plateaux Arides
vertes plaines des Hommes-Taureaux
contrées sans Roi
contrées d'Arcadie
monts Tristes
Toukanim
Tenebrim
grand lac Ixion
marais du Désespoir
porte des Enfers
Zoudoubaï
pays des Dogons
jungle de Kouroum
désert des Mirages

Les Merriens

Les merriens habitent les grands espaces océaniques, qu'ils ratissent en bandes à la recherche de bateaux à couler.

Plus poissons qu'humains, ils ressemblent physiquement aux sirènes, mais n'en possèdent pas la grâce ni la beauté. Toujours affublés d'un bonnet de couleur rouge monté d'une plume, ils parlent un étrange dialecte poétique qui ne cadre pas avec leur brutalité.

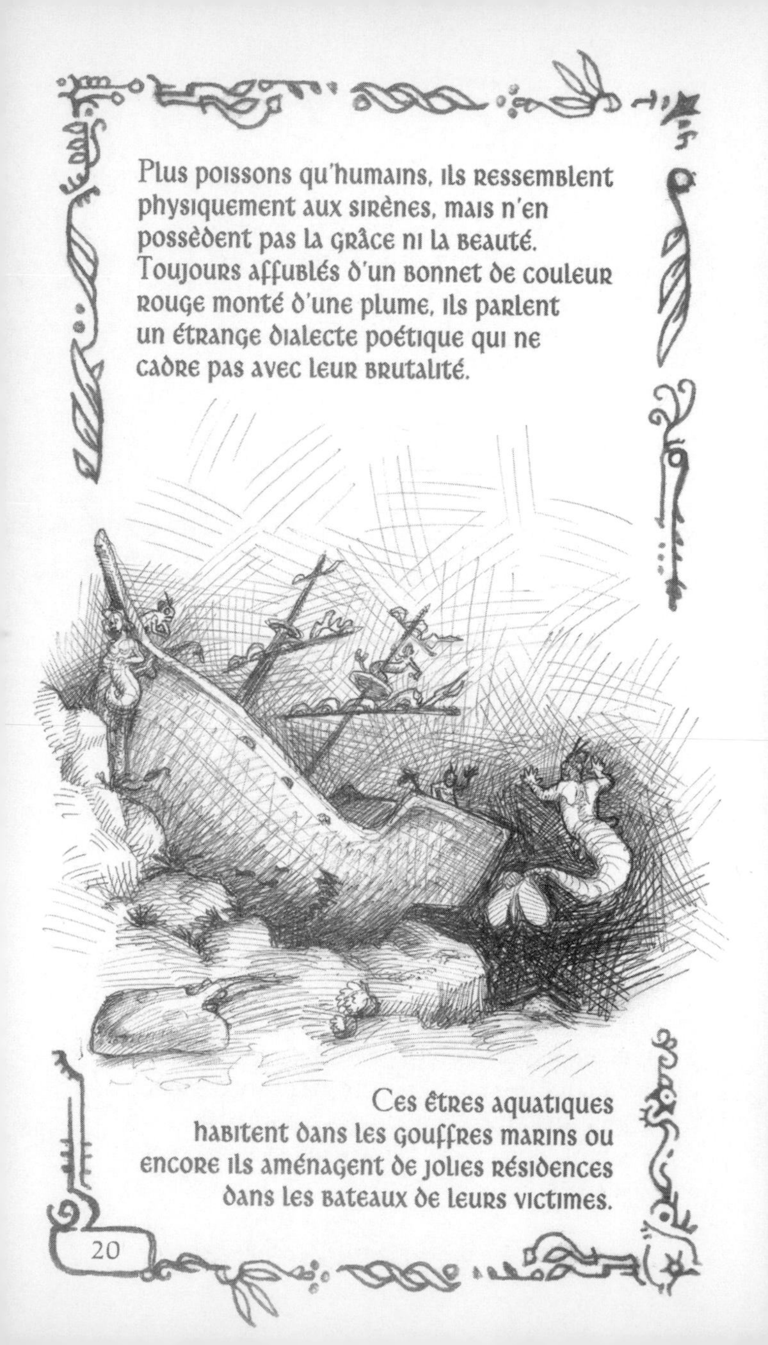

Ces êtres aquatiques habitent dans les gouffres marins ou encore ils aménagent de jolies résidences dans les bateaux de leurs victimes.

Ils vivent en bandes de dix à trente individus, chacune composée d'un mâle seulement. Les groupes plus importants peuvent compter jusqu'à trois mâles adultes. Le chef de ces clans familiaux est généralement la plus vieille femelle du groupe.

Les merriens ont un langage assez unifié bien qu'il existe différents dialectes au sein d'un même clan. On peut parfois entendre leur sifflement à plusieurs lieues à la ronde, une douce mélodie qui charme les marins et les envoûte.

Les merriens se nourrissent presque exclusivement de viande. Ils adorent le poisson, mais raffolent surtout des créatures non aquatiques. Il leur arrive souvent de capturer des animaux se baignant dans la mer ou des oiseaux flottant nonchalamment sur les vagues. Leur chasse se fait toujours par petits groupes de trois ou quatre. Des éclaireurs scrutent attentivement leur proie avant de lancer une première attaque. Les renforts suivent alors immédiatement.

Les Kelpies

Les kelpies sont surprenants à cause de leur apparence insolite. Ces humanoïdes, de la taille d'un étalon, possèdent un tronc humain entre une tête et des pattes de cheval. Dans les pays nordiques, on raconte aux enfants que les kelpies sont d'excellents forgerons et qu'ils fabriquent dans leurs forges sous-marines certains des plus beaux coquillages que l'on trouve sur les plages.

Ces êtres aquatiques sont étranges et fascinants à la fois. Ils peuvent aussi bien vivre en eaux douces qu'en eaux salées. Leurs fréquentes apparitions dans les lacs, les rivières et les mers du Nord du continent me portent à croire qu'ils détestent la chaleur et préfèrent davantage les climats marins tempérés ou froids.

Plusieurs témoignages se contredisent sur leur organisation sociale. Certains pêcheurs affirment qu'ils vivent en troupeau alors que bon nombre de bergers jurent qu'ils sont des êtres solitaires.

Peut-être existe-t-il alors deux races de kelpies ? L'une habitant en société dans les mers et les océans alors que l'autre, esseulée, occupe les eaux douces des terres. Mes recherches pour découvrir la réponse à cette question se sont avérées infructueuses et le mystère reste donc entier.

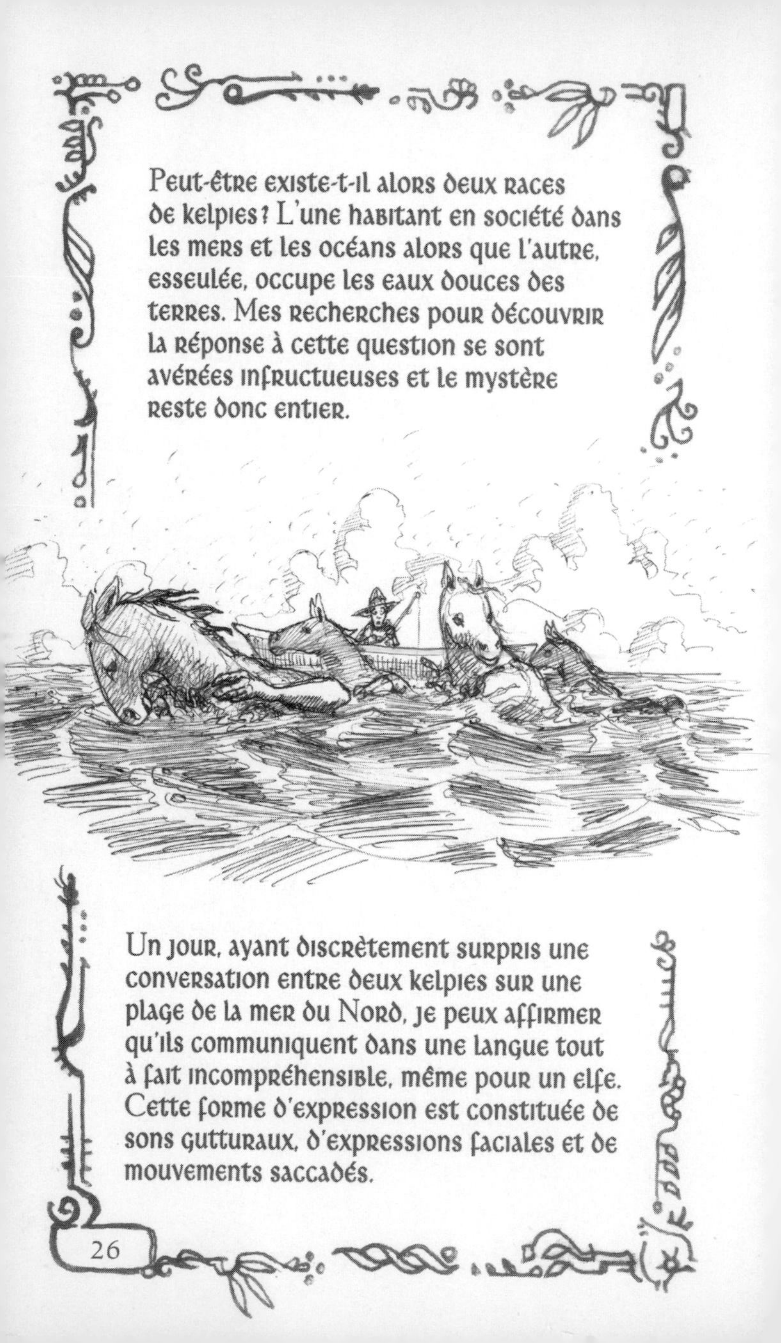

Un jour, ayant discrètement surpris une conversation entre deux kelpies sur une plage de la mer du Nord, je peux affirmer qu'ils communiquent dans une langue tout à fait incompréhensible, même pour un elfe. Cette forme d'expression est constituée de sons gutturaux, d'expressions faciales et de mouvements saccadés.

Les voir se trémousser de la sorte donne davantage l'impression d'assister à une danse tribale qu'à une discussion normale.

Ils sont inoffensifs et leurs apparitions représentent pour les habitants de plusieurs villages un signe de chance et de bonne fortune.

Les Kannerezed-Noz

Ces êtres fantastiques que l'on rencontre parfois dans les contrées du nord se nomment aussi les blanchisseuses de nuit.

Elles apparaissent dans les lavoirs près des cours d'eau, souvent sous les ponts, et lavent les vêtements de ceux qui trouveront bientôt la mort. Quand ces lavandières fantomatiques tordent leur linge pour l'essorer, il arrive souvent que du sang se mêle à l'eau et souille les berges.

On raconte qu'elles demandent souvent l'aide des passants qui croisent leur chemin afin d'essorer les tissus mortuaires. Il faut alors prendre bien soin de tordre dans le même sens qu'elles, sous peine d'avoir les mains prises dans le tissu et les os des doigts brisés.

Dans les régions hyperboréennes, les kannerezed-noz hantent les campagnes et travaillent toutes les nuits à laver, essorer et faire sécher les suaires destinés aux seigneurs et aux rois.

Ces spectres féminins attaquent en groupe et frappent leurs victimes avec des vêtements tordus ou des battoirs à linge. Il arrive que l'on retrouve les cadavres de voyageurs imprudents, les os rompus, près de certains lavoirs maudits.

Selon la croyance populaire, ces blanchisseuses expient dans le lavage de graves péchés, notamment celui d'infanticide. Leur apparition est toujours un funeste présage.

Les Griffons

Ces créatures extraordinaires qui peuplent surtout les montagnes du Sud des grandes contrées de Sumer, sont facilement reconnaissables à leur apparence hétéroclite.

Elles sont constituées d'un corps arrière semblable à celui du lion, d'une longue queue de serpent et d'imposantes griffes postérieures alors qu'à l'avant sont situées la tête, les ailes et les serres identiques à celles de l'aigle.

Dans plusieurs cultures, on considère le griffon comme étant le gardien de trésors ou de lieux de culte importants. Grâce à son excellente vision aérienne et sa très grande force physique, il est souvent choisi par les dieux pour éloigner les mortels des lieux sacrés où ils ont établi leur demeure terrestre.

Cet animal fantastique possède toutes les qualités du lion, roi des animaux, et de l'aigle, souverain des airs.

Il est un mélange de vitesse et de force, d'agilité et de ruse, de férocité et de talent. Parfaitement constitué pour vivre dans les montagnes, le griffon ne sort de sa tanière que pour chasser.

Je peux affirmer, pour avoir été le témoin privilégié d'une attaque de griffon sur une horde de chevaux sauvages, qu'il a la fougue des grands carnassiers de ce monde et qu'il mérite le surnom de « furie des sommets », surnom qu'utilisent les montagnards pour le décrire.

Les
Minotaures

On retrouve dans la plaine des hommes-taureaux de nombreux royaumes appartenant au peuple des minotaures. Ces créatures mi-homme, mi-bœuf sont pourvues de cornes robustes et possèdent une impressionnante force physique.

Peu intelligents, ils sont souvent capturés par des chasseurs d'esclaves et vendus à fort prix sur tout le continent.

Captifs, ils sont d'excellents travailleurs, mais ils demeurent dangereux et impulsifs.

Le style de vie des minotaures est principalement nomade et très lié au passage des saisons. Ils vivent en clans éparpillés sur leur grand territoire. Toute la population habite dans des yourtes, une sorte de grande tente ronde qui peut être déménagée rapidement et dont la porte est toujours axée vers le sud.

À l'intérieur, l'ouest constitue la place d'honneur des invités tandis que le nord et l'est sont réservés aux trésors et aux souvenirs de famille.

Les minotaures ont des habitudes de vie très simples et se contentent de peu. Leur spiritualité réside d'abord dans la danse, qui sert à exorciser les mauvais esprits. Ces nomades pratiquent aussi le chant khoomii, très difficile à moduler du fait que l'interprète doit produire deux ou trois lignes vocales à la fois.

Un ancien proverbe minotaure dit : « Mange pour toi le matin, partage à midi et donne ton dîner le soir. »

Ainsi, le repas le plus important pour ce peuple demeure le petit-déjeuner, où l'on mange du ragoût de mouton bouilli dans de la graisse et recouvert de farine.

Les Nagas

Les hommes ont longtemps considéré les nagas comme de simples esprits habitant les déserts et les océans.

En réalité, il s'agit d'une espèce très particulière d'hommanimal dont le nombre d'individus est très peu élevé. Ces êtres, mi-serpent, mi-humain, proviennent tous de la cité mystique de Bhogavati, construite sous une importante chaîne de montagnes hyperboréenne. Les légendes racontent que cette ville, taillée à même le marbre vert de gigantesques cavités naturelles, est d'une splendeur à couper le souffle.

L'une des caractéristiques du peuple naga est son amour pour les bijoux et les parures. C'est par ces ornements qu'ils déterminent entre eux le rang social propre à chaque individu et qu'ils interagissent selon un code très strict de salutations, de courbettes, de révérences et d'hommages.

Peu amicaux, les nagas sont des créatures narcissiques qui, à l'image de leur passion pour les pierres précieuses, aiment qu'on les remarque et qu'on les complimente.

Ils ont la certitude d'avoir été créés pour remplacer les dieux et attendent impatiemment ce moment de gloire. Leur religion, basée sur le culte de Seth, fait d'ailleurs l'éloge de leur intelligence, de leur force physique et de leur habileté à utiliser la magie.

Les nagas avec lesquels j'ai eu la chance de parler croient en la supériorité de leur race et pensent que leur peuple dominera un jour le monde.

Les
Molosses
Hurlants

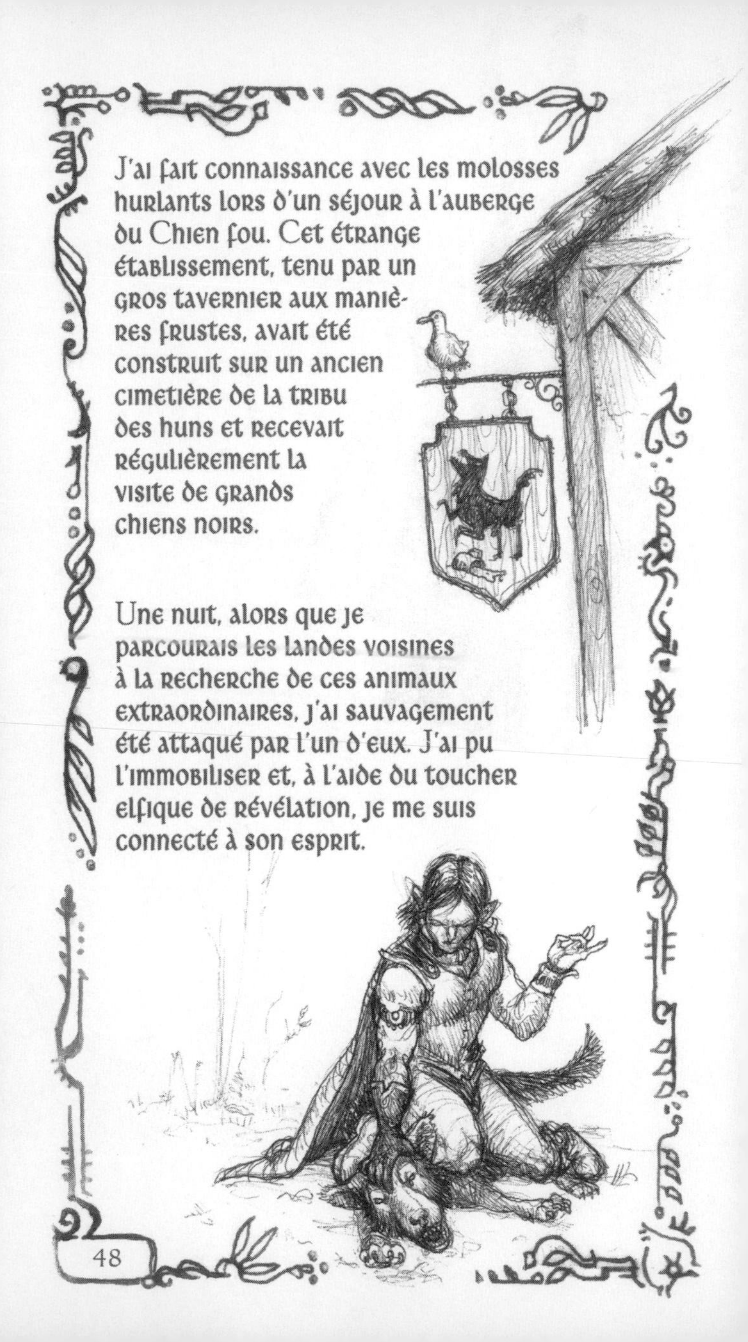

J'ai fait connaissance avec les molosses hurlants lors d'un séjour à l'auberge du Chien fou. Cet étrange établissement, tenu par un gros tavernier aux manières frustes, avait été construit sur un ancien cimetière de la tribu des huns et recevait régulièrement la visite de grands chiens noirs.

Une nuit, alors que je parcourais les landes voisines à la recherche de ces animaux extraordinaires, j'ai sauvagement été attaqué par l'un d'eux. J'ai pu l'immobiliser et, à l'aide du toucher elfique de révélation, je me suis connecté à son esprit.

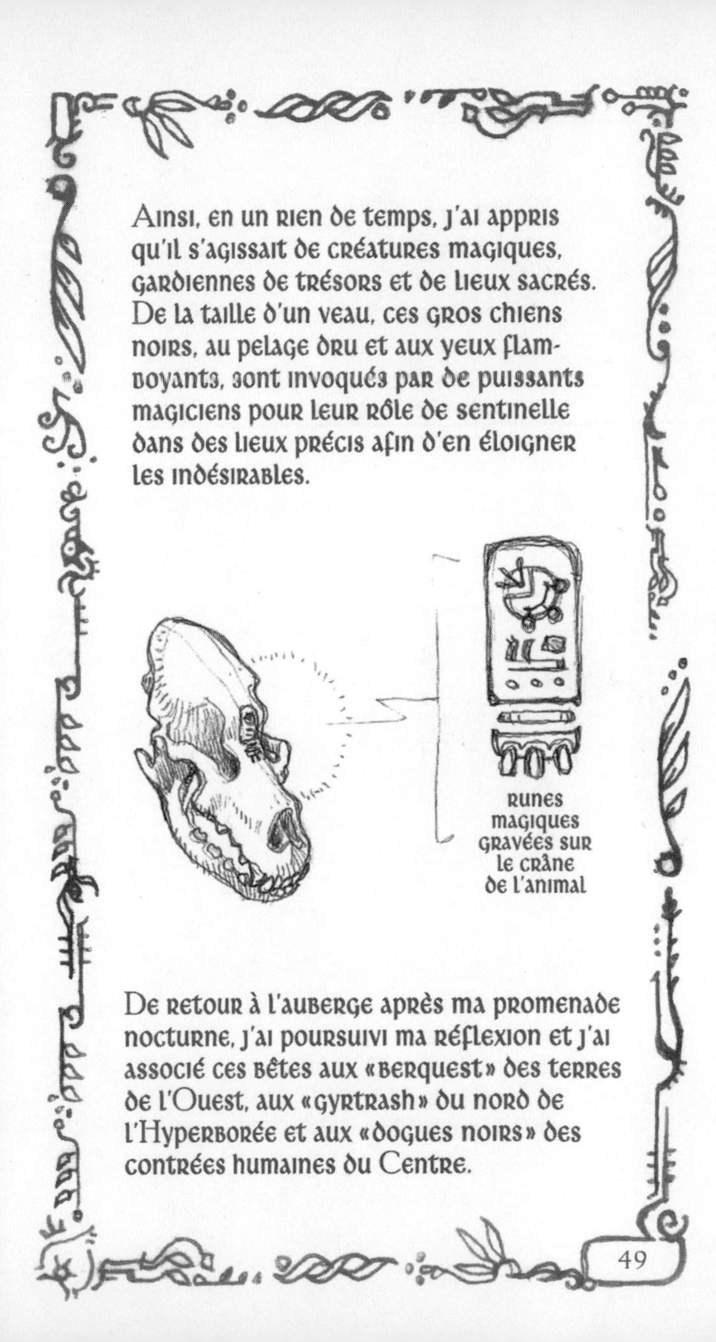

Ainsi, en un rien de temps, j'ai appris qu'il s'agissait de créatures magiques, gardiennes de trésors et de lieux sacrés. De la taille d'un veau, ces gros chiens noirs, au pelage dru et aux yeux flamboyants, sont invoqués par de puissants magiciens pour leur rôle de sentinelle dans des lieux précis afin d'en éloigner les indésirables.

Runes magiques gravées sur le crâne de l'animal

De retour à l'auberge après ma promenade nocturne, j'ai poursuivi ma réflexion et j'ai associé ces bêtes aux «berquest» des terres de l'Ouest, aux «gyrtrash» du nord de l'Hyperborée et aux «dogues noirs» des contrées humaines du Centre.

En relisant mes notes, je peux maintenant affirmer que les molosses hurlants constituent l'une des espèces les plus anciennes et les plus répandues du monde. Ces animaux suivent les grands courants de la magie et leur existence dépend des invocateurs et des druides. Toujours en meute, ils obéissent aveuglément à leur maître.

On les retrouve principalement là où s'exerce la sorcellerie, soit dans les forêts, les marécages, les petits bois ou dans les cimetières.

Là-bas, j'ai passé quelques semaines à chercher le trésor de leur maître sans toutefois rien trouver.

À l'écriture de ces lignes, j'ignore toujours ce qu'il advient du sort des molosses hurlants, si leur garde est déjouée ou leur secret dévoilé. De mon observation, je retiens finalement que la manifestation des molosses hurlants signale la présence d'un mystère considérable et fort bien défendu.

Il existe peu
de créatures aussi
repoussantes que les harpies.

Ces humanoïdes possèdent une tête et un buste de femme montés sur un corps de vautour avec des pattes aux serres puissantes. Osseuses et ridées, elles sécrètent une odeur épouvantable et répandent sur leur passage de terribles malédictions qui provoquent souvent sécheresses, famines et épidémies.

Les harpies aiment torturer leurs victimes et affectionnent particulièrement la chair des jeunes enfants.

Ces horribles femmes-vautours habitent pour la plupart sur la grande île des Arkhous, juste au nord du pays des Dogons et de la jungle de Kouroum. Elles survolent cette grande terre volcanique et vont parfois jusqu'aux monts Tristes pour tourmenter les aigles et s'emparer de leurs œufs.

Au combat, elles utilisent majoritairement leur bec et leurs griffes, mais certaines attaquent avec des massues rudimentaires ou lancent des pierres du haut des airs.

La reine des harpies se nomme Anx la Noire et ne semble pas avoir de domicile fixe. Elle est reconnaissable à sa peau bleue et à son œil unique, bien centré au-dessus du nez. D'après plusieurs témoignages de voyageurs lui ayant échappé, Anx la Noire transporte avec elle un lit d'ossements qui lui sert de couchette.

Prudente, elle possède plusieurs cachettes et ne sort jamais sans avoir une bonne raison de le faire. On raconte qu'elle est la seule harpie capable de manier la magie, mais que ses pouvoirs sont limités.

Il arrive souvent que les Dogons, fatigués de repousser les attaques des harpies, se mettent en chasse et tentent de capturer leur reine. Leurs tentatives ont été jusqu'à ce jour toutes infructueuses.

Le Kraken

De la même grande famille que les pieuvres, ce monstre aquatique est capable, tout comme le calmar, de cracher de l'encre pour produire un nuage noir entre lui et ses ennemis.

Ce moyen de défense, un peu dérisoire si l'on considère la force de cette créature, ne fait qu'amplifier la terreur qu'il provoque auprès des marins et des pêcheurs.

Ainsi, plusieurs parlent d'une mer noire qui précède ses attaques et décrivent en détail l'odeur de mort qui s'en dégage.

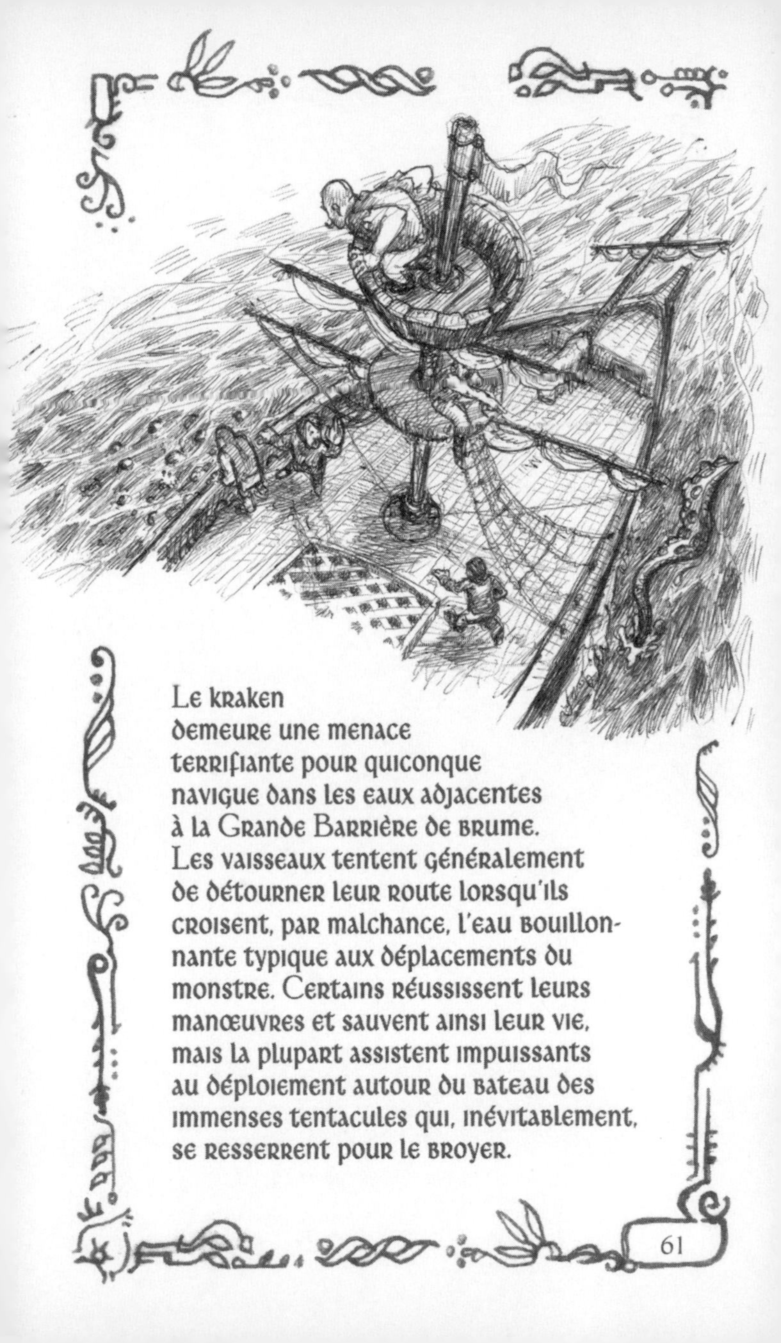

Le kraken
demeure une menace
terrifiante pour quiconque
navigue dans les eaux adjacentes
à la Grande Barrière de brume.
Les vaisseaux tentent généralement
de détourner leur route lorsqu'ils
croisent, par malchance, l'eau bouillon-
nante typique aux déplacements du
monstre. Certains réussissent leurs
manœuvres et sauvent ainsi leur vie,
mais la plupart assistent impuissants
au déploiement autour du bateau des
immenses tentacules qui, inévitablement,
se resserrent pour le broyer.

Rares sont ceux qui survivent à cette attaque, car la bête marine adore la chair humaine et rattrape presque toujours les naufragés en fuite.

Bon nombre d'habitants de la côte imputent au kraken les fréquentes disparitions de navires de commerce et de bateaux de pêche. Sans avoir personnellement vu le kraken en action, je crois pouvoir me fier aux témoignages entendus et confirmer l'existence d'un tel monstre marin.

Les Hommanimaux

Aussi appelés semi-hommes, les hommanimaux sont issus d'un croisement entre la race humaine et certaines espèces animales. Malgré mes recherches, il m'est impossible de déterminer scientifiquement la source même de ce métissage. Cependant, mes travaux me portent à croire que leur existence est liée à une volonté divine de renforcement et de diversification de la race humaine.

J'ai pu constater qu'il existe deux catégories très distinctes d'hommanimaux. J'ai appelé la première «intégrée» et la seconde «mutagène».

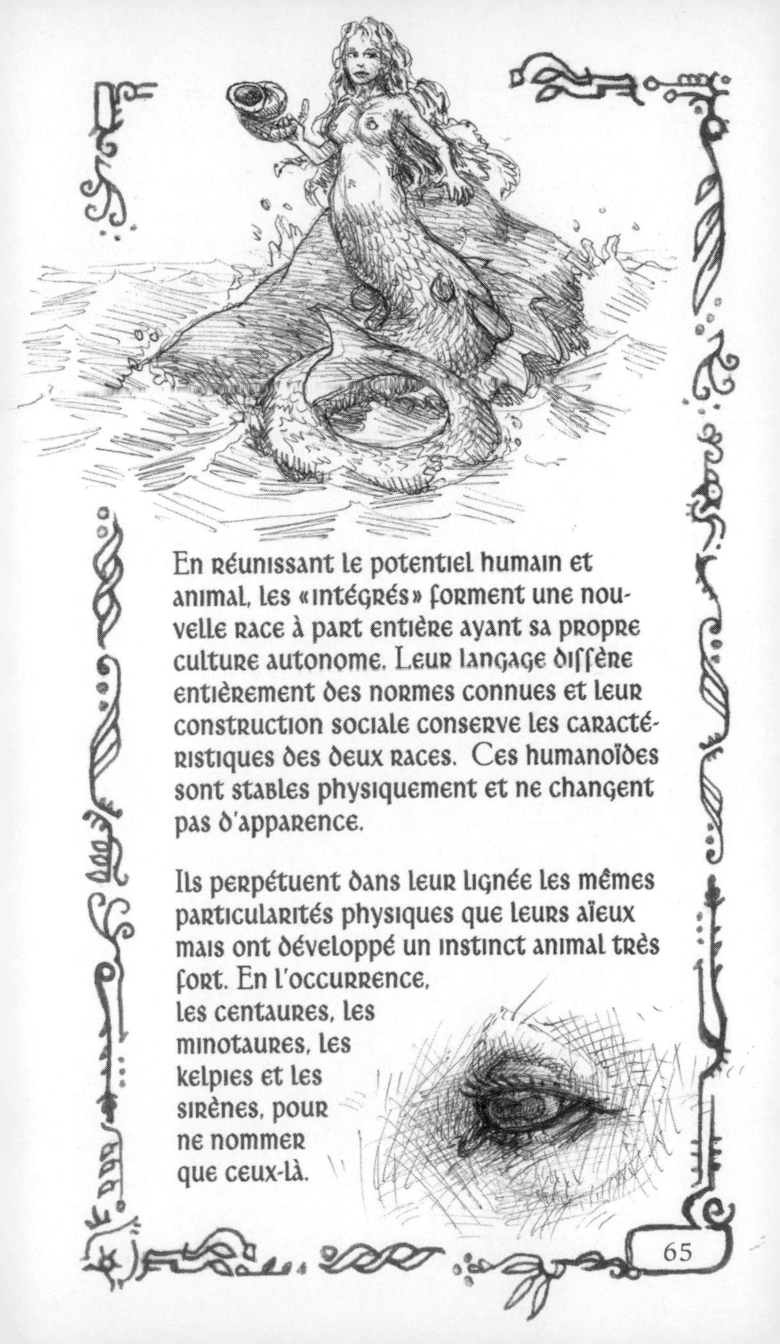

En réunissant le potentiel humain et animal, les «intégrés» forment une nouvelle race à part entière ayant sa propre culture autonome. Leur langage diffère entièrement des normes connues et leur construction sociale conserve les caractéristiques des deux races. Ces humanoïdes sont stables physiquement et ne changent pas d'apparence.

Ils perpétuent dans leur lignée les mêmes particularités physiques que leurs aïeux mais ont développé un instinct animal très fort. En l'occurrence, les centaures, les minotaures, les kelpies et les sirènes, pour ne nommer que ceux-là.

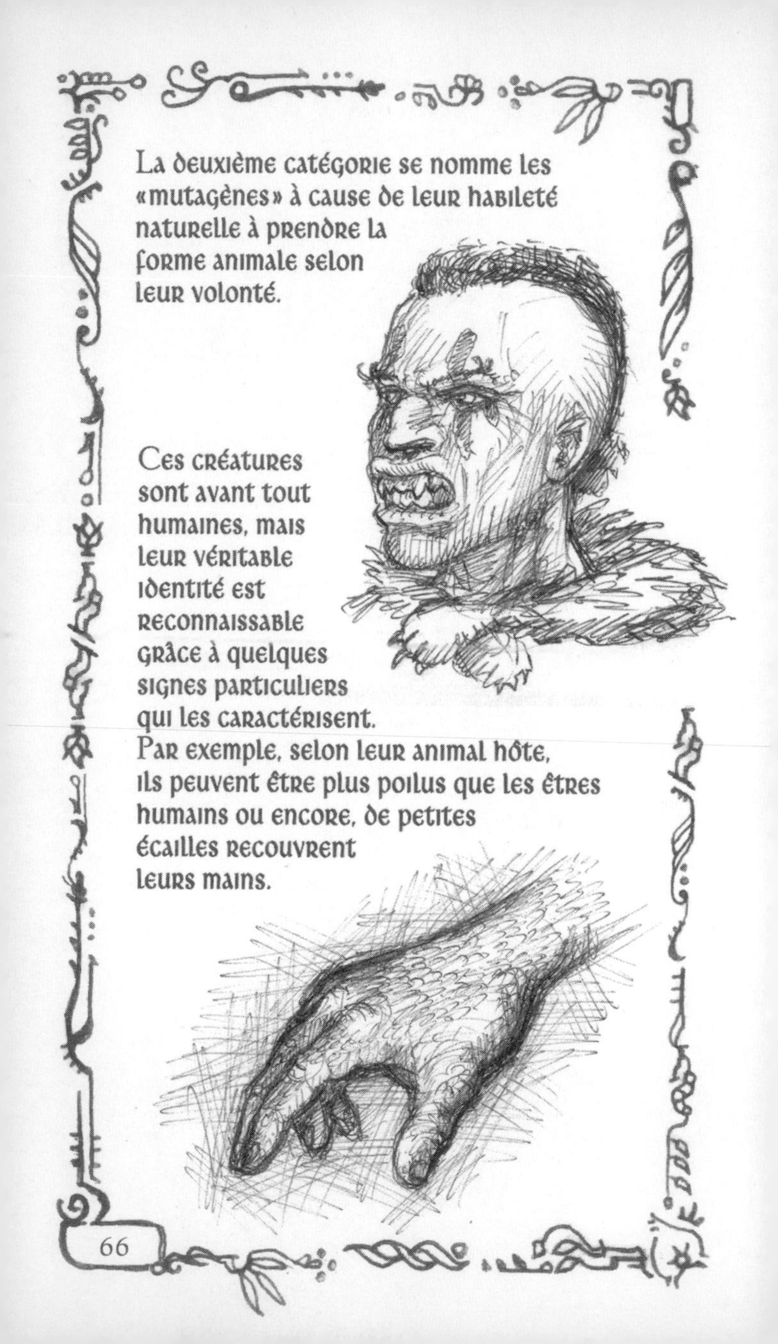

La deuxième catégorie se nomme les «mutagènes» à cause de leur habileté naturelle à prendre la forme animale selon leur volonté.

Ces créatures sont avant tout humaines, mais leur véritable identité est reconnaissable grâce à quelques signes particuliers qui les caractérisent. Par exemple, selon leur animal hôte, ils peuvent être plus poilus que les êtres humains ou encore, de petites écailles recouvrent leurs mains.

Quant au
peuple des hommes-oiseaux, on
le reconnaît aux plumes qui garnissent
leurs épaules, tandis que
pour leur part, les
hommes-loups
exhibent en
permanence
de longues
canines.

Cette espèce
de mutants
se comporte
comme les
humains
et vit
souvent
à leurs côtés.

Ils s'intègrent parfaitement à la vie des villes et des grandes capitales, mais ils préfèrent se retrouver exclusivement entre eux. Voilà pourquoi on déniche régulièrement des domaines ou même des villages entiers peuplés de ces hybrides.

Les hommanimaux sont présents partout dans le monde. On les retrouve dans tous les pays, des déserts les plus arides jusqu'aux contrées enneigées. Ils possèdent quelques dons bien spécifiques qui, selon leur race, sont liés aux cinq sens, à l'instinct et à leur capacité de combattre.

Le Basilic

Cette créature est sans doute l'une des plus étranges qu'il m'ait été donné d'observer. Solitaire et extrêmement dangereuse, la bête habite majoritairement les déserts, mais semble s'adapter à tous les climats.

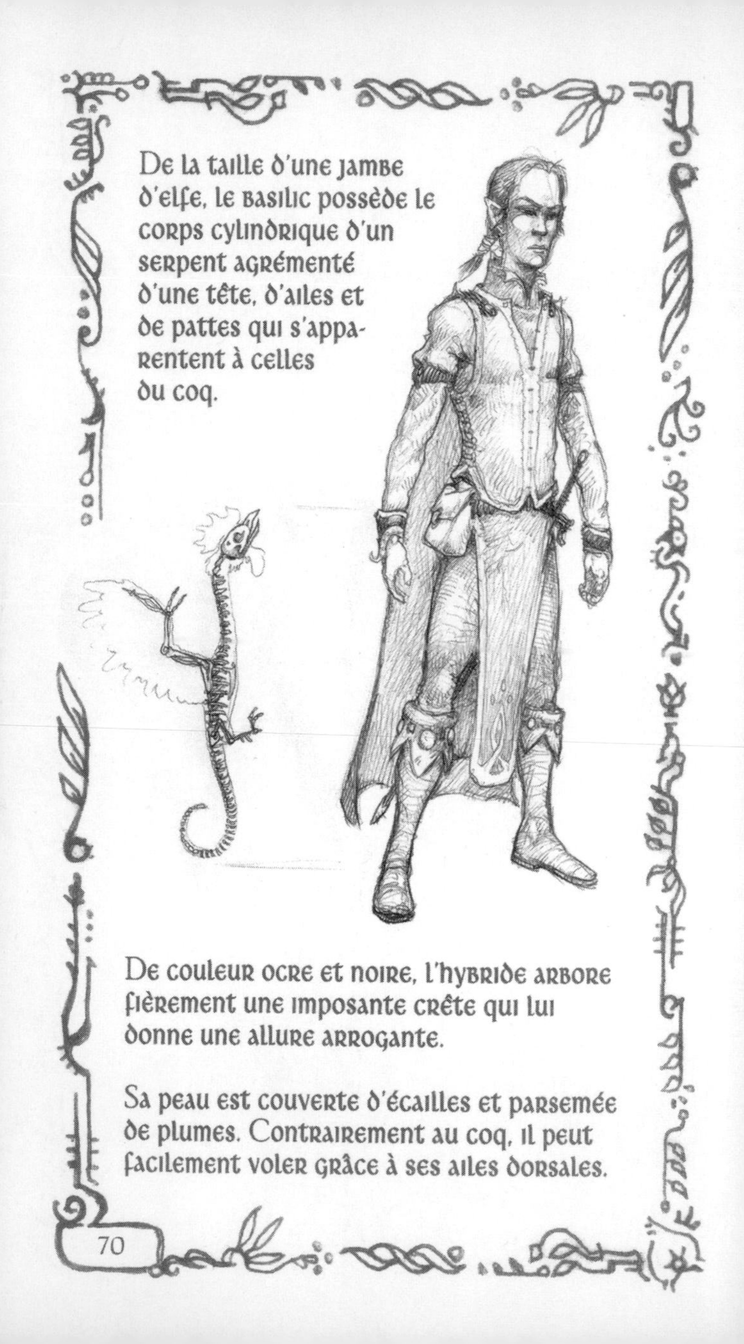

De la taille d'une jambe d'elfe, le basilic possède le corps cylindrique d'un serpent agrémenté d'une tête, d'ailes et de pattes qui s'apparentent à celles du coq.

De couleur ocre et noire, l'hybride arbore fièrement une imposante crête qui lui donne une allure arrogante.

Sa peau est couverte d'écailles et parsemée de plumes. Contrairement au coq, il peut facilement voler grâce à ses ailes dorsales.

Selon les pays, le basilic porte aussi le nom de cocatris, qui signifie «trappeur».

On l'appelle probablement ainsi à cause de son acharnement à poursuivre ses proies et de son habileté à s'embusquer pour surprendre ses ennemis.

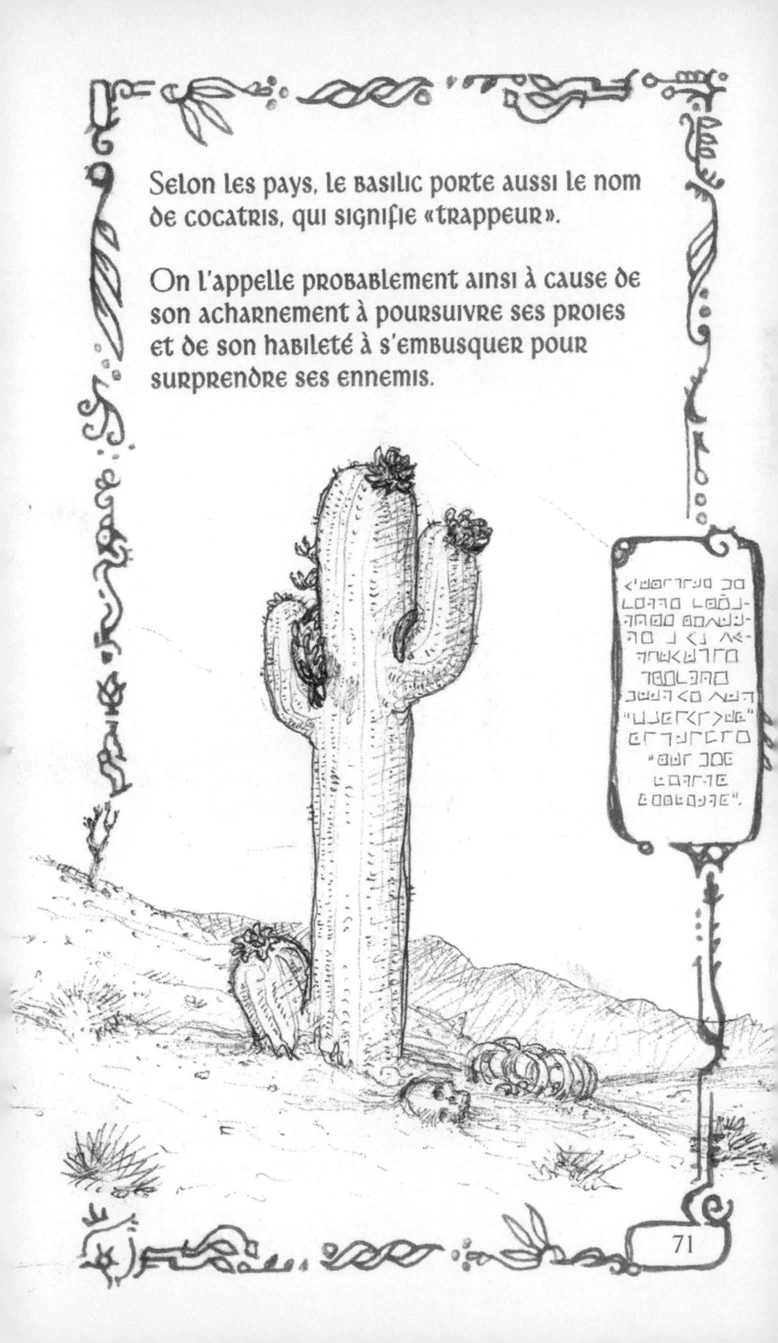

L'origine de cette créature est très étrange. Les légendes racontent qu'elle est le produit d'un œuf de coq ayant été couvé par un crapaud.

Elle serait alors une créature alchimique, produite et modelée par de grands magiciens puis utilisée dans l'histoire de l'humanité comme une arme de destruction massive.

Si le mystère de sa provenance est inexplicable, ses pouvoirs sont par contre bien réels.

J'ai vu de mes yeux le basilic griller un oiseau en plein vol juste en posant son regard sur l'animal. Du même coup d'œil, il a flétri toute la végétation autour de lui.

Des villageois du pays de Dûm qui m'accompagnaient dans mon excursion m'ont confié que son cri paralysant était son arme préférée et qu'il s'en servait pour immobiliser ses victimes avant de les dévorer.

Il faut savoir que le basilic est aussi dangereux que fragile.

Le simple chant du coq le pulvérise en mille miettes alors que la belette, apparemment le seul animal complètement immunisé contre ses pouvoirs, peut facilement le vaincre de quelques coups de dent. Comme les gorgones, la créature ne supporte pas son propre reflet et meurt aussitôt qu'elle se mire.

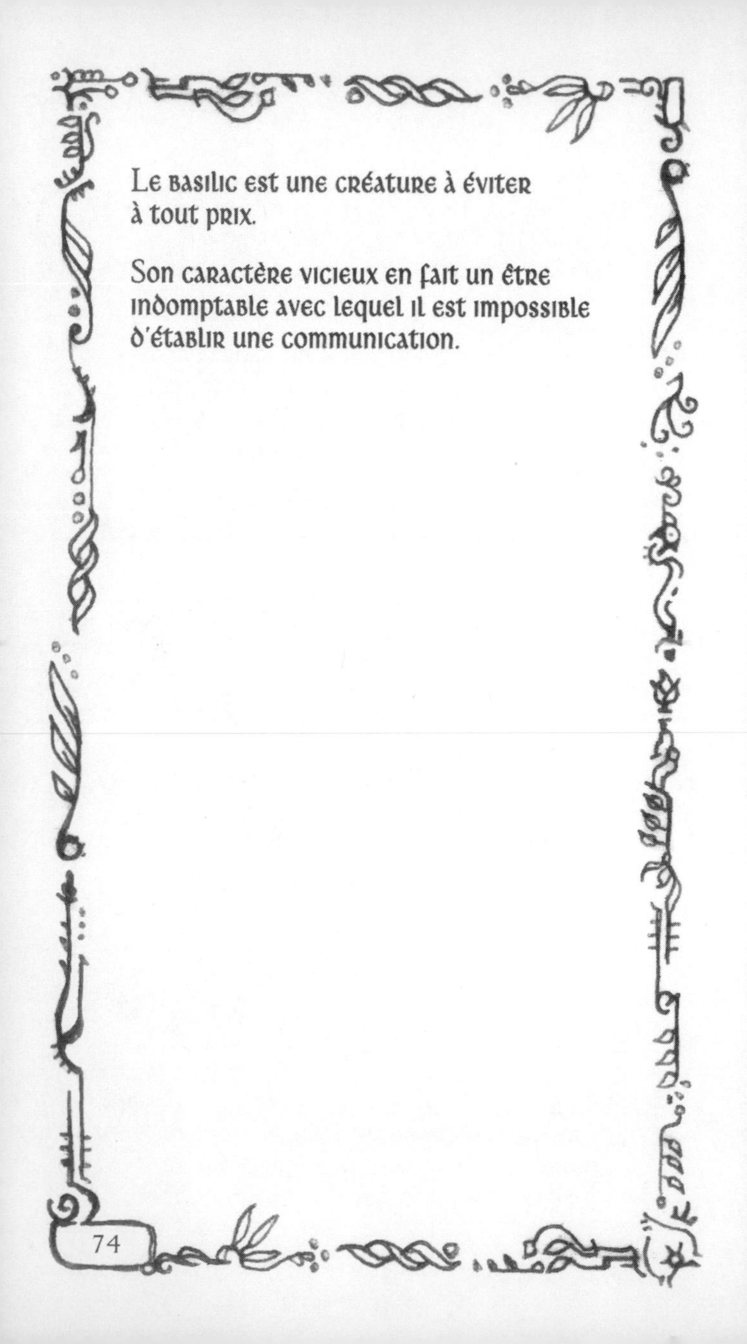

Le basilic est une créature à éviter à tout prix.

Son caractère vicieux en fait un être indomptable avec lequel il est impossible d'établir une communication.

L'Homme Gris

Les origines de cette créature étrange sont incertaines et plusieurs légendes racontent qu'elle serait née à la création du monde.

L'homme gris porte plusieurs noms et il est connu, selon les différentes cultures et régions du monde, comme Far Liath, An Fir Lea ou encore Brologhan. Particulièrement craint par les populations du Nord, cet être de brume et de brouillard garde jalousement la Grande Barrière et empêche les mortels de la traverser.

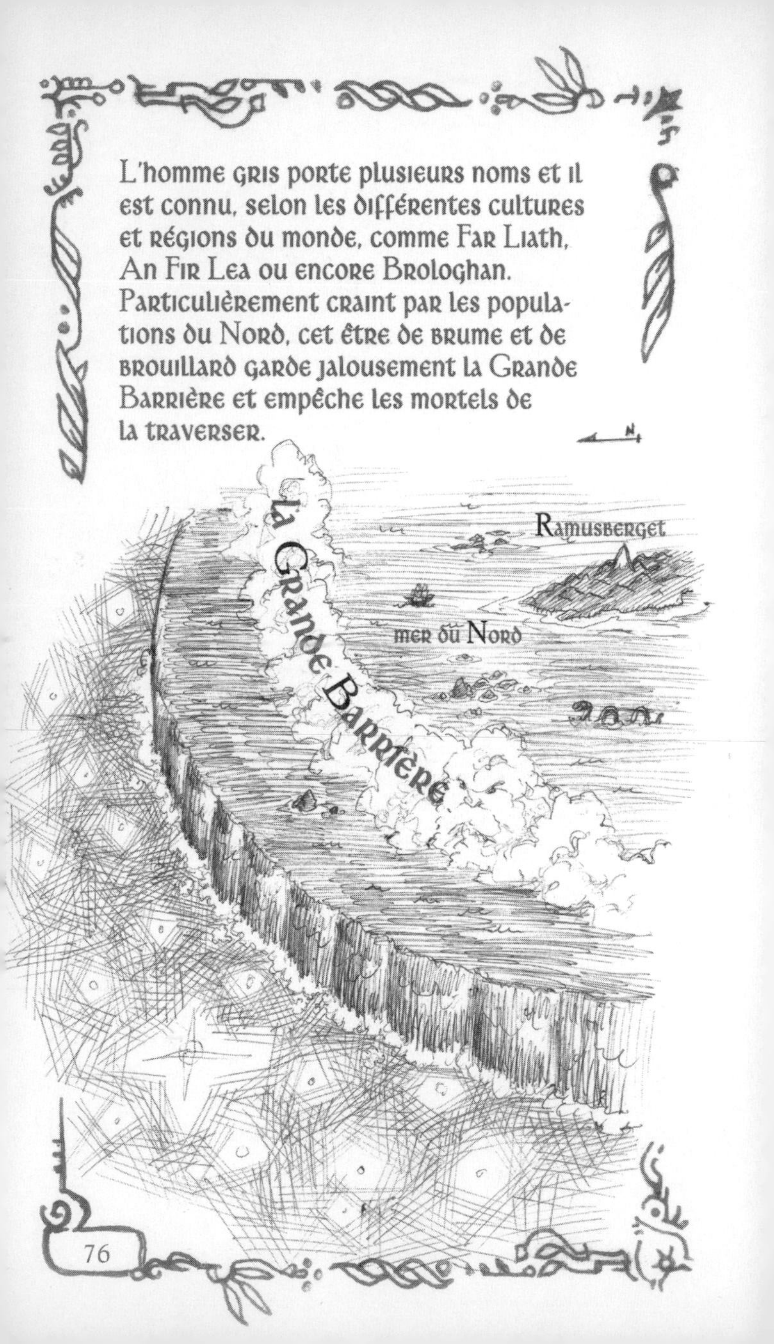

Ceux qui exécutent ses ordres et rebroussent chemin dès son premier avertissement reviennent toujours à bon port. Les autres, plus téméraires, échouent chaque fois leur navire sur les récifs où ils sont gardés prisonniers dans le brouillard jusqu'à leur mort.

De nature bourrue et déplaisante, l'homme gris semble être l'unique représentant de son espèce. Comme il ne communique pas souvent avec les habitants du continent, il demeure mal informé de l'évolution du monde, ce qui peut le faire paraître confus.

Lors de ma dernière rencontre avec lui, nous avons longuement discuté de l'état du continent et de la croissance démesurée de la race humaine. Il est d'avis que les hommes domineront bientôt toutes les régions de la Terre et élimineront sur leur passage l'ensemble des humanoïdes qui ne se plieront pas à leur volonté. Pour lui, les humains ne parlent qu'une langue, celle de la guerre.

Les Serpents de Mer

Lors d'une excursion sur les côtes de la mer d'Ititte, j'ai assisté à la capture d'un grand serpent de mer. C'est avec la permission du chef du village que j'ai pu étudier l'animal.

La bête mesure environ soixante mètres de longueur et en a précisément cinq de diamètre. Excepté son ventre jaune, son corps est tout noir et couvert de petites écailles acérées. Fort semblable à des algues marines, la crinière qui lui garnit le cou est, selon les pêcheurs de la région, le signe distinctif du mâle.

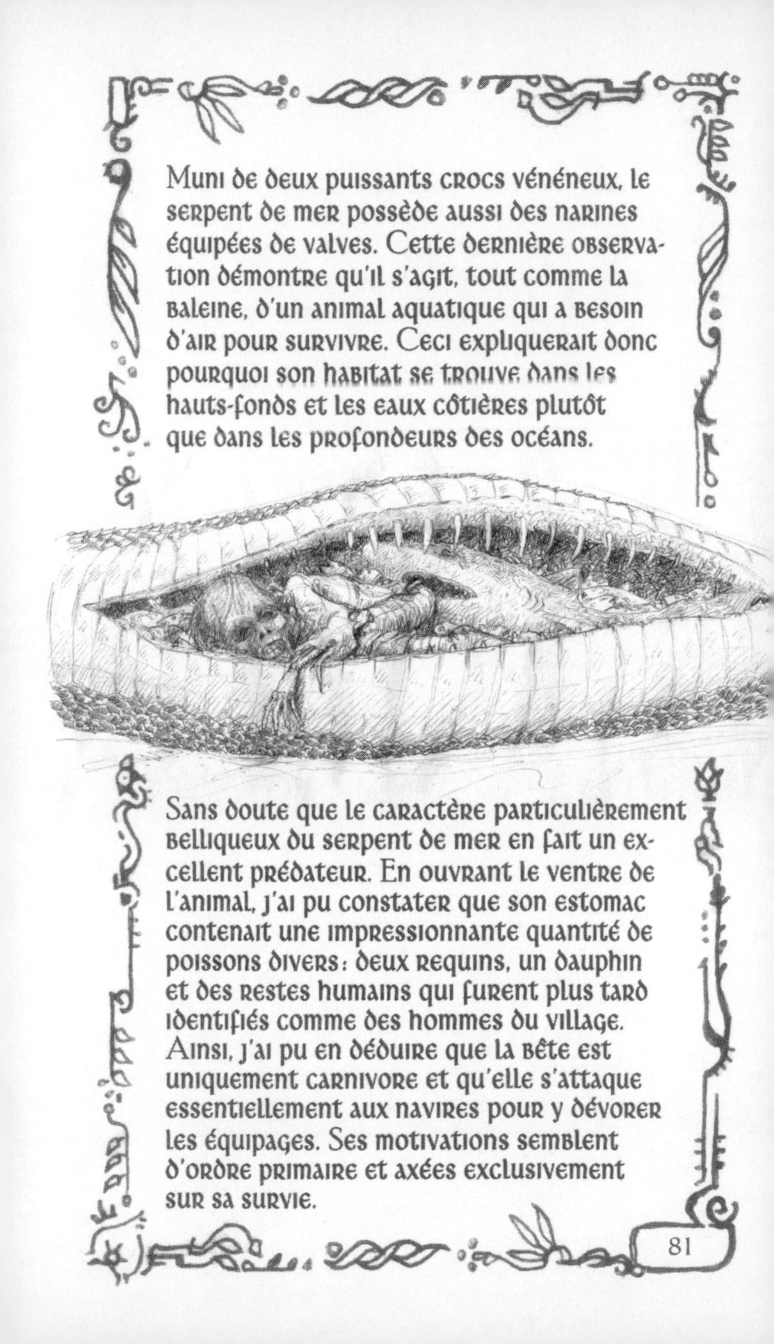

Muni de deux puissants crocs vénéneux, le serpent de mer possède aussi des narines équipées de valves. Cette dernière observation démontre qu'il s'agit, tout comme la baleine, d'un animal aquatique qui a besoin d'air pour survivre. Ceci expliquerait donc pourquoi son habitat se trouve dans les hauts-fonds et les eaux côtières plutôt que dans les profondeurs des océans.

Sans doute que le caractère particulièrement belliqueux du serpent de mer en fait un excellent prédateur. En ouvrant le ventre de l'animal, j'ai pu constater que son estomac contenait une impressionnante quantité de poissons divers : deux requins, un dauphin et des restes humains qui furent plus tard identifiés comme des hommes du village. Ainsi, j'ai pu en déduire que la bête est uniquement carnivore et qu'elle s'attaque essentiellement aux navires pour y dévorer les équipages. Ses motivations semblent d'ordre primaire et axées exclusivement sur sa survie.

Le serpent de mer est un mammifère, mais par contre il ne possède aucun sens social. Il n'a ni langue ni culture, pas de maître à servir et certainement pas de dieu à prier. Il se situe en haut de la chaîne alimentaire des océans et s'il le peut, attaque sauvagement tous ceux qui croisent sa route.

Les Nymphes

On trouve les nymphes dans toutes les parties du continent et leur nom varie selon les régions qu'elles ont choisi d'habiter. Les dryades vivent dans les arbres et les forêts alors que les napées occupent les bosquets et les prés.

D'autres, appelées les néréides, vivent dans les rivières et les lacs...

... alors que les oréades
peuplent les montagnes
et les grottes.

Les océanides affectionnent particulièrement la mer et les hamadryades protègent les grands arbres.

Les nymphes sont des travailleuses acharnées qui s'occupent de préserver et de rehausser la beauté de la nature.

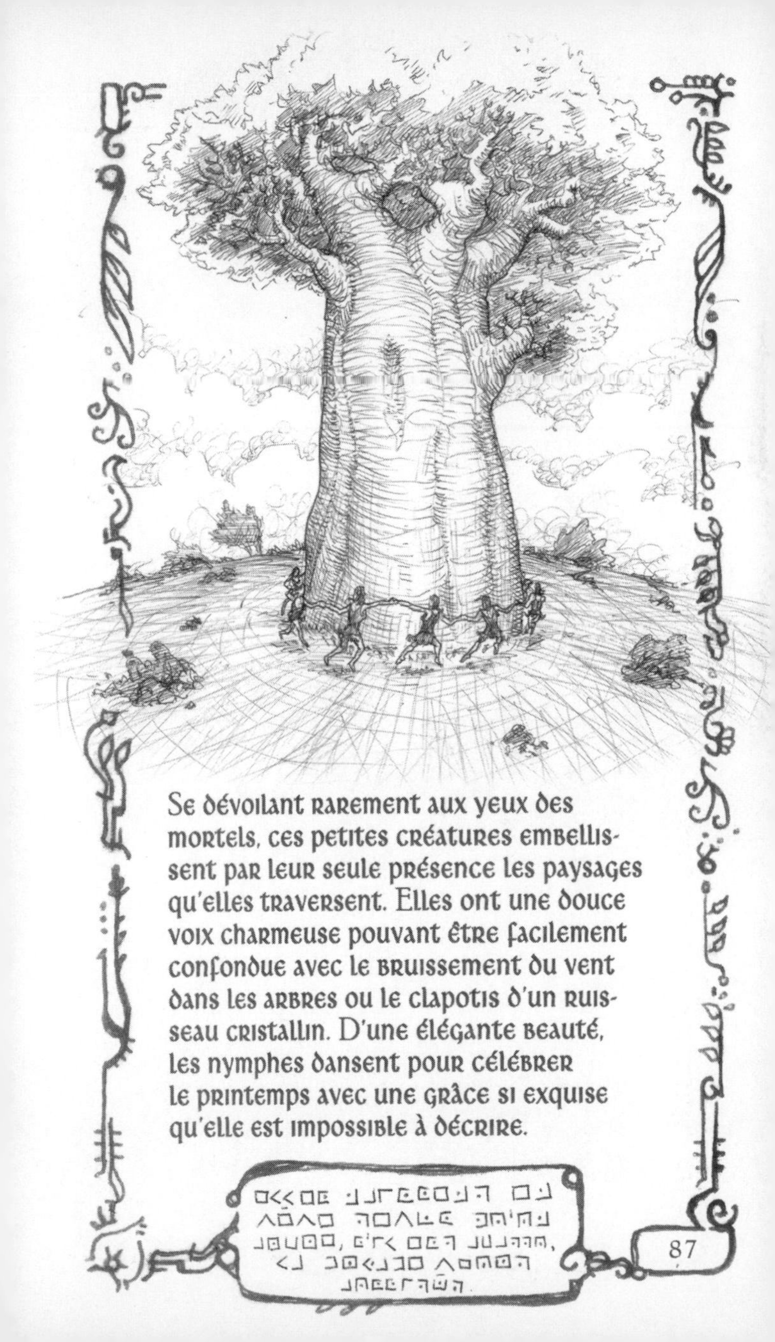

Se dévoilant rarement aux yeux des mortels, ces petites créatures embellissent par leur seule présence les paysages qu'elles traversent. Elles ont une douce voix charmeuse pouvant être facilement confondue avec le bruissement du vent dans les arbres ou le clapotis d'un ruisseau cristallin. D'une élégante beauté, les nymphes dansent pour célébrer le printemps avec une grâce si exquise qu'elle est impossible à décrire.

Leur juvénile innocence provoque à coup sûr le désir amoureux des valeureux guerriers qui, une fois envoûtés par les nymphes, se laissent mourir d'amour.

Comme il n'existe aucun remède, aucune magie ou potion et pas un seul guérisseur capable de soigner la passion amoureuse, croiser une de ces créatures signifie souvent la mort.

Les Faunes

C'est sous les pins et les oliviers sauvages des hauts plateaux du Sud que vivent les faunes.

Ces petits humanoïdes très poilus sont entièrement dévoués au culte de Faunus, dieu protecteur des champs, des bergers et du bétail.

Ils possèdent de longues oreilles pointues, deux petites cornes et des pattes de bouc. Ceux-ci ont hérité d'une barbichette et d'une queue de chèvre qu'ils entretiennent et soignent avec zèle. De nature joyeuse, ils peuvent néanmoins être très brutaux et s'en prendre à quiconque trouble leur paix.

Les faunes ne vivent pas en ville et leurs activités sont majoritairement agricoles.

Leur capitale est Borghèse et constitue l'unique cité du territoire. Peu peuplée, elle est le siège des activités économiques et abrite le palais Sylghna, où le monarque ne met que rarement les pieds.

Le royaume est triangulaire et les temples d'Aventin, de Viminal et de Littoralis en forment les pointes.

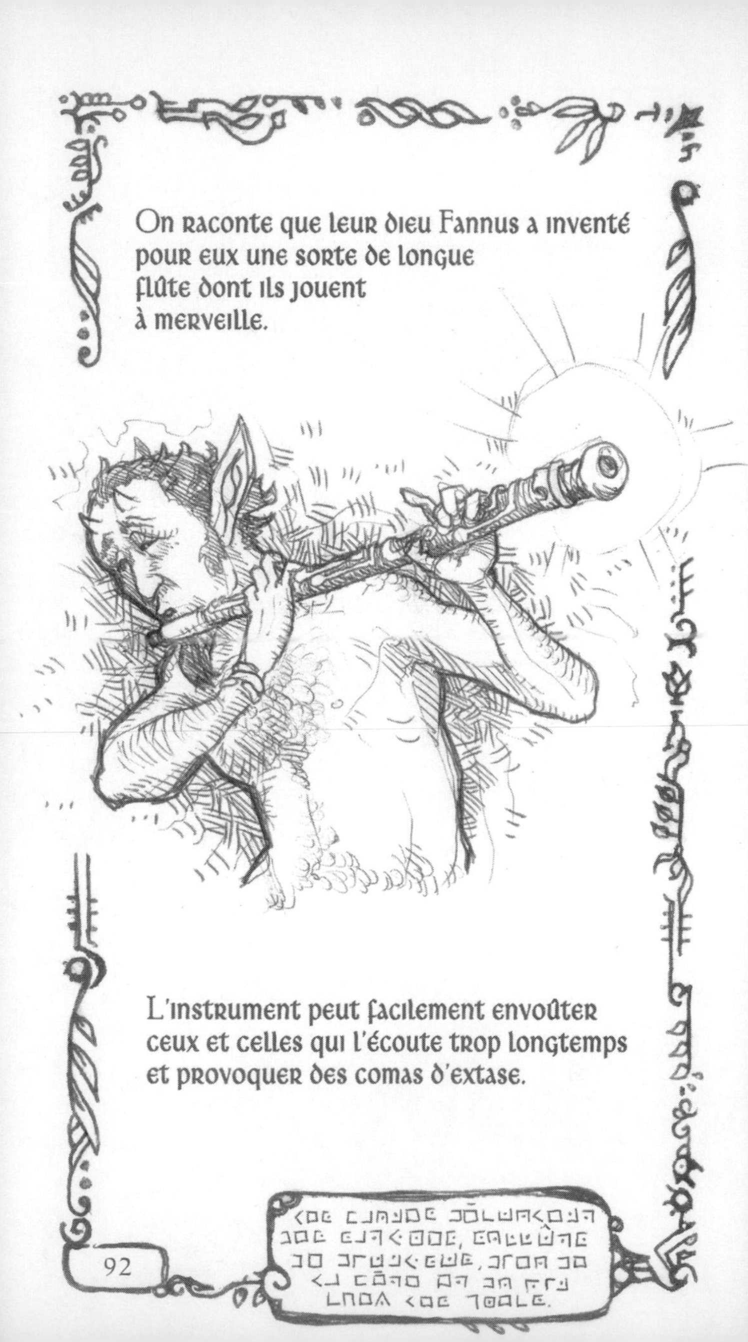

On raconte que leur dieu Fannus a inventé pour eux une sorte de longue flûte dont ils jouent à merveille.

L'instrument peut facilement envoûter ceux et celles qui l'écoute trop longtemps et provoquer des comas d'extase.

Il faut alors rapidement sortir les victimes du territoire des faunes et les immerger dans l'eau froide. C'est le seul moyen connu d'éviter qu'elles sombrent dans une béatitude montelle.

Les Icariens

Cette civilisation d'hommes et de femmes oiseaux est probablement, en dehors de celle des elfes, la plus avancée du continent.

Vouant un culte excessif et rigide au dieu Pégase, ce cheval ailé issu du sang de la blessure de la première des gorgones, ils habitent une grande cité impériale construite sur la plus haute montagne du centre du continent. Ces hommanimaux adorent discuter philosophie et sont passés maîtres dans les domaines de l'architecture, la sculpture et la médecine. Ils disposent de nombreuses écoles où s'enseignent les mathématiques, l'histoire et les langues.

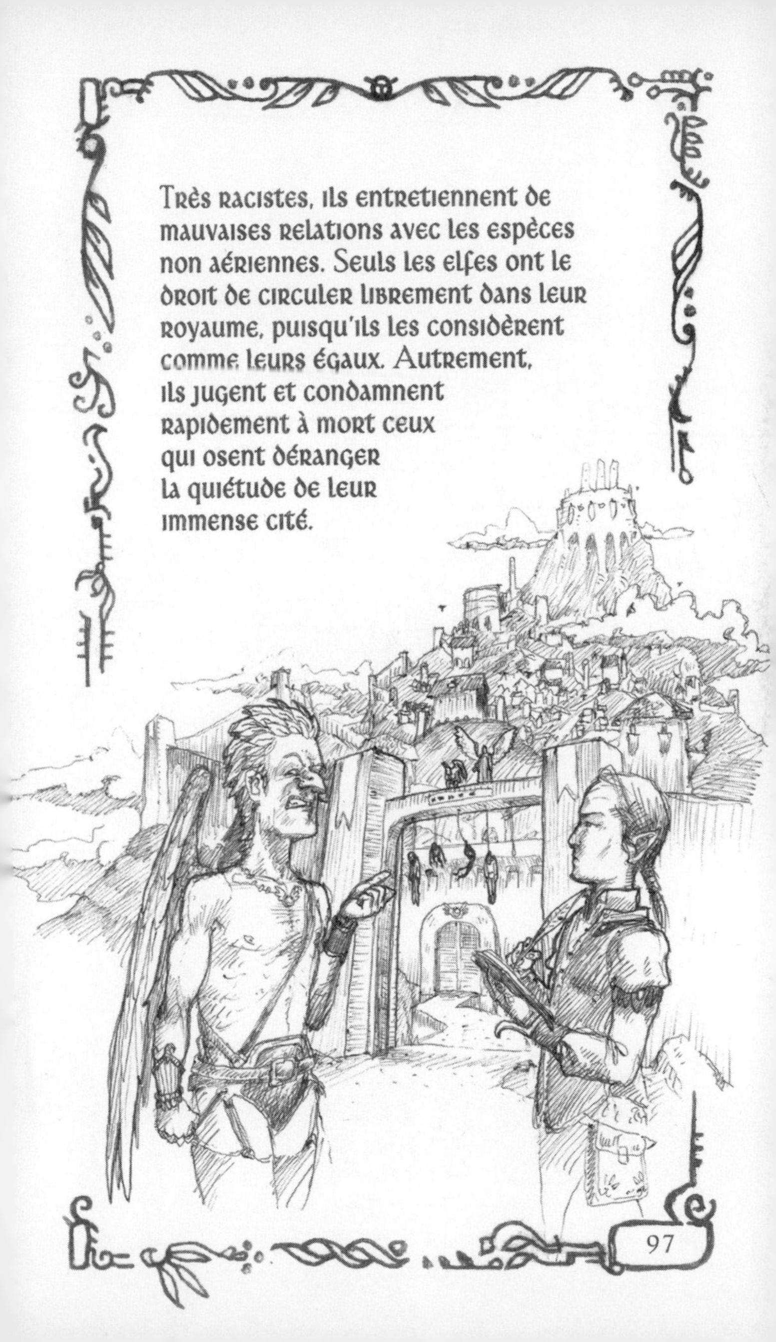

Très racistes, ils entretiennent de mauvaises relations avec les espèces non aériennes. Seuls les elfes ont le droit de circuler librement dans leur royaume, puisqu'ils les considèrent comme leurs égaux. Autrement, ils jugent et condamnent rapidement à mort ceux qui osent déranger la quiétude de leur immense cité.

Ces humanoïdes arborent fièrement de magnifiques crinières de plumes qui leur couvrent la tête, le cou et une partie du dos. Ils sont pourvus d'ailes et leur nez, aquilin, ressemble fort au bec de l'aigle. Leur armée compte un grand nombre de valeureux guerriers capables de décocher des flèches en plein vol. D'une rare habileté, ils manquent rarement leur cible. La chasse à l'homme, créature qu'ils considèrent comme un vulgaire animal, est d'ailleurs un de leurs sports préférés et pour lequel plusieurs concours sont organisés chaque année.

Les Manticores

Ce monstre, originaire de la région tropicale de la jungle de Kouroum, est l'un des plus dangereux prédateurs connus à ce jour.

Son corps est semblable à celui d'un lion alors que sa tête, similaire à celle d'un homme, possède une terrible gueule béante pourvue de trois rangées de dents aussi affilées que celles du requin.

Sa grande queue écailleuse aux allures d'un boa sans tête se termine par une pelote de dards empoisonnés.

Lorsque la manticore traque sa proie dans la jungle, elle se glisse discrètement près d'elle et lui lance d'un coup de queue une volée d'aiguillons venimeux. Sans antidote connu, la victime meurt de ce poison en quelques minutes puis est dévorée par son bourreau. La bête avale tout de sa proie, aussi bien le squelette que les vêtements, les objets personnels ou encore les armes. Elle digère tout !

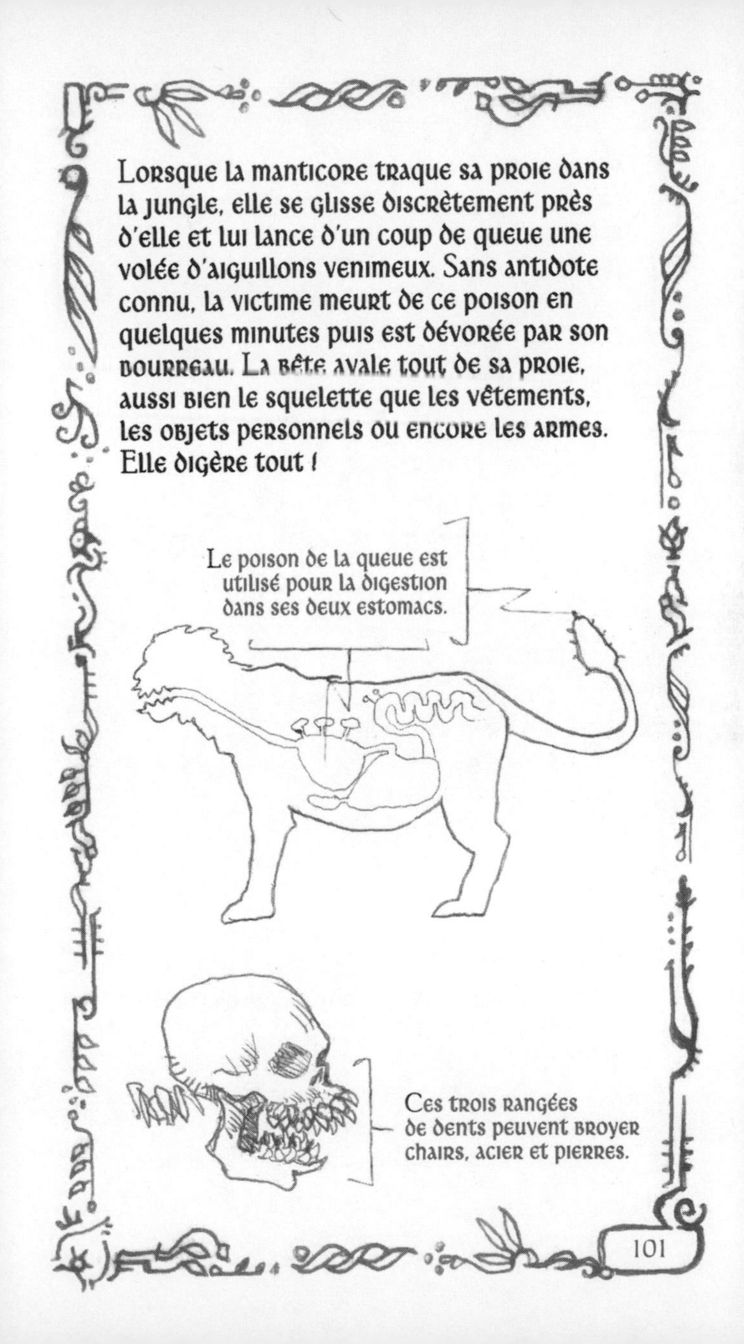

Cette créature est un prédateur né qui aime tuer par plaisir ; juste avant d'attaquer, elle lance souvent un cri de chasse qui ressemble au bruit d'une trompette. Elle ne craint rien ni personne et chasse régulièrement des bêtes faisant plusieurs fois sa taille.

Personne ne semble capable d'apprivoiser ce monstre furieux que son caractère pousse sans cesse à la violence. Même les sorciers les plus puissants hésitent à emprunter les routes qui traversent les territoires des manticores.

Les Gorgones

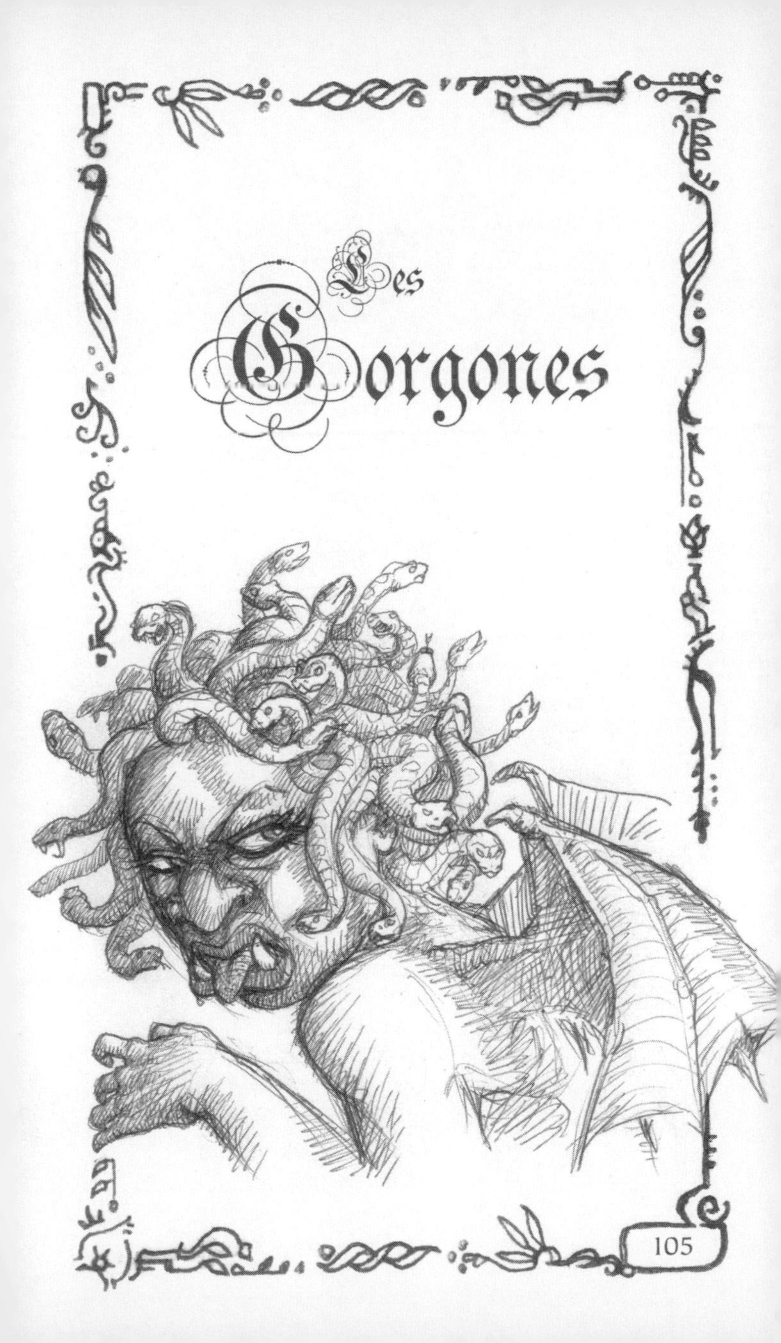

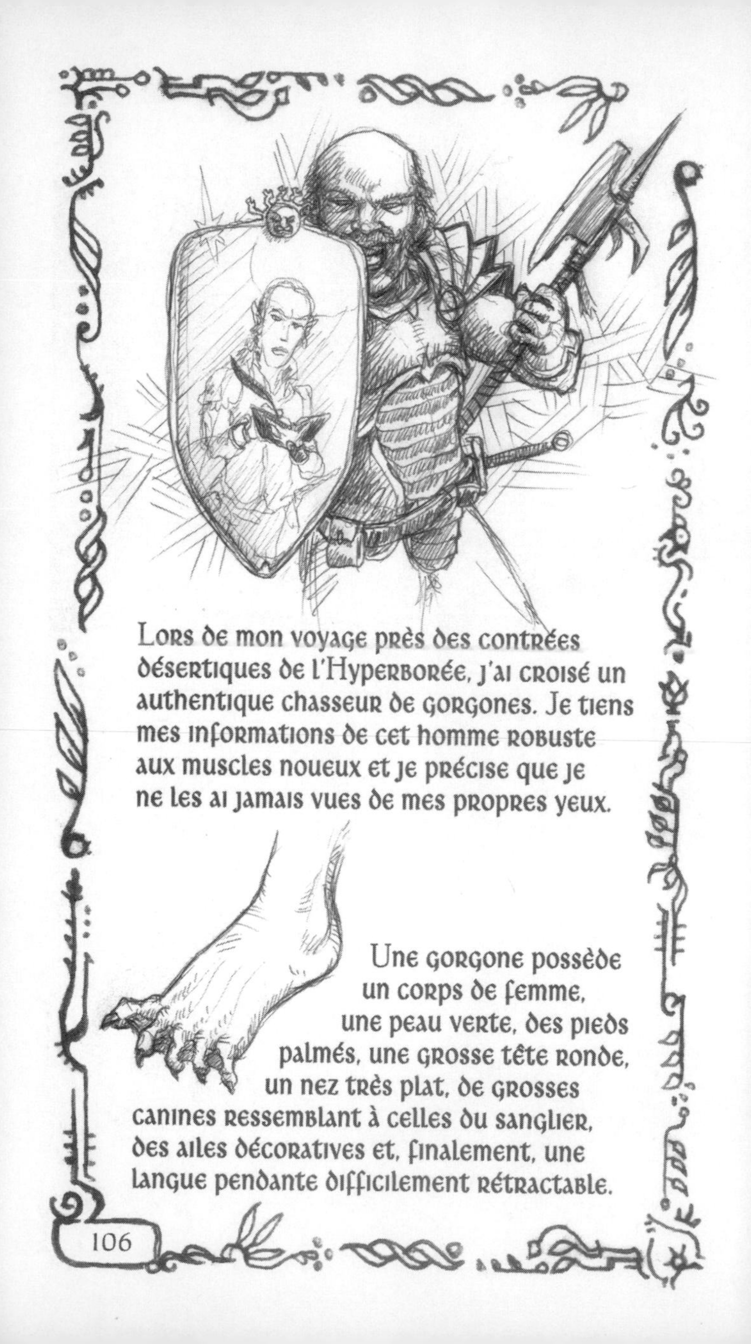

Lors de mon voyage près des contrées désertiques de l'Hyperborée, j'ai croisé un authentique chasseur de gorgones. Je tiens mes informations de cet homme robuste aux muscles noueux et je précise que je ne les ai jamais vues de mes propres yeux.

Une gorgone possède un corps de femme, une peau verte, des pieds palmés, une grosse tête ronde, un nez très plat, de grosses canines ressemblant à celles du sanglier, des ailes décoratives et, finalement, une langue pendante difficilement rétractable.

Sa caractéristique la plus marquante demeure son abondante chevelure de serpents. Ces bêtes étranges ont la particularité de transformer en pierre quiconque les regarde dans les yeux. Les innombrables statues de pierre à l'image d'hommes et de femmes que l'on trouve dans cette région du monde sont, sans doute, les restes calcifiés de malheureuses rencontres.

Le mode de reproduction des gorgones est fascinant. Leurs cheveux-serpents, arrivés à maturité, tombent de leur tête et commencent une première étape de vie sous forme reptilienne. Ensuite, elles développent des pattes comme celles des lézards pour, des années plus tard, réussir à atteindre la station verticale.

Ce n'est donc qu'après de très longues années de gestation terrestre que ces créatures endossent concrètement les attributs de leur race et rejoignent la communauté de leurs semblables.

On trouve ces bêtes dans les milieux arides, les grottes ou les grandes mers, qu'elles occupent en bandes dans une structure sociale primaire. Plusieurs personnes affirment qu'il n'y a qu'une seule race de gorgones issue de la «mère fondatrice» Méduse, alors que d'autres pensent qu'il existe une lignée propre à Sthéno et une autre à Euryale,

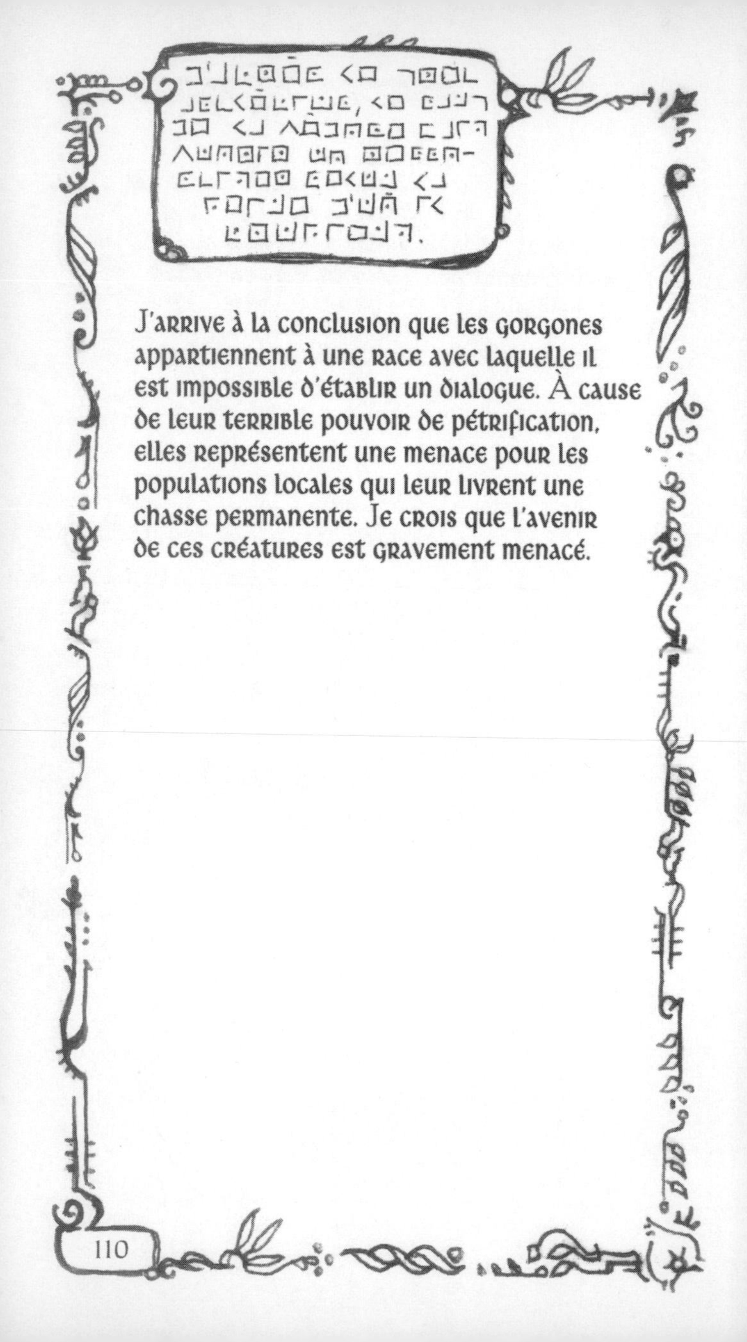

J'arrive à la conclusion que les gorgones appartiennent à une race avec laquelle il est impossible d'établir un dialogue. À cause de leur terrible pouvoir de pétrification, elles représentent une menace pour les populations locales qui leur livrent une chasse permanente. Je crois que l'avenir de ces créatures est gravement menacé.

Les Centaures

Originaire des contrées d'Arcadie et de Thessadie, cette race de cheval au tronc et à tête d'homme galope en clan dans les vastes collines herbeuses situées au sud du fleuve Ixion.

Leur caractère, loin d'être aussi noble que leur apparence, est d'une incomparable brutalité. Ils sont aussi forts que des étalons, mais aussi cupides, concupiscents et arrogants que le plus vil des hommes. Ils adorent boire du vin et s'enivrent jusqu'à rouler par terre.

Dans leurs querelles d'ivrognes, il leur arrive souvent de s'entretuer pour des peccadilles.

Sans aucune loi ni conduite morale pour les guider, les centaures pillent en bandes les villes et les villages qu'ils rencontrent sur leur passage. Ils enlèvent des jeunes filles pour les sacrifier à leurs dieux et n'hésitent pas à massacrer quiconque se dresse devant eux.

Ils attaquent souvent des campements minotaures, situés dans les vastes plaines, à la frontière de leur royaume.

Jamais en paix, ils entretiennent des relations conflictuelles avec toutes les autres races de ce monde et ne s'amusent véritablement que lorsque la dispute éclate. Soûls, ils se croient invincibles, alors qu'à jeun, ils hésitent à importuner une «bonne lame». La meilleure façon de se débarrasser d'un troupeau de centaures est de leur lancer une bouteille de vin. Ils se battront à mort pour elle et, pendant ce temps, ils vous laisseront tranquillement passer votre chemin.

Les Dragons

À ce jour, les dragons peuvent être considérés comme une race éteinte.

Les légendes racontent qu'ils auraient pris part à la Première Grande Guerre des dieux et n'auraient pas survécu aux légendaires pouvoirs des guerriers élémentaux, plus communément appelés «porteurs de masques».

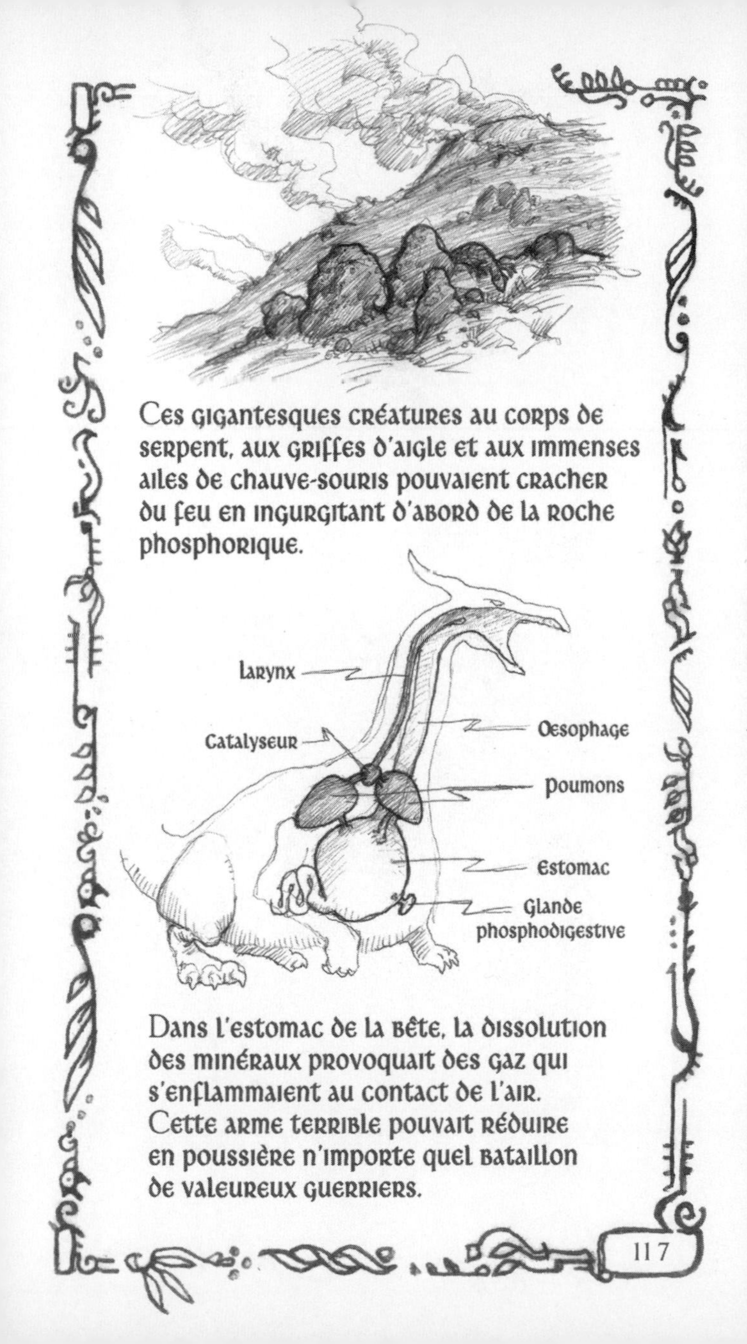

Ces gigantesques créatures au corps de serpent, aux griffes d'aigle et aux immenses ailes de chauve-souris pouvaient cracher du feu en ingurgitant d'abord de la roche phosphorique.

Dans l'estomac de la bête, la dissolution des minéraux provoquait des gaz qui s'enflammaient au contact de l'air. Cette arme terrible pouvait réduire en poussière n'importe quel bataillon de valeureux guerriers.

Les écailles du dragon constituaient une armure presque impénétrable.

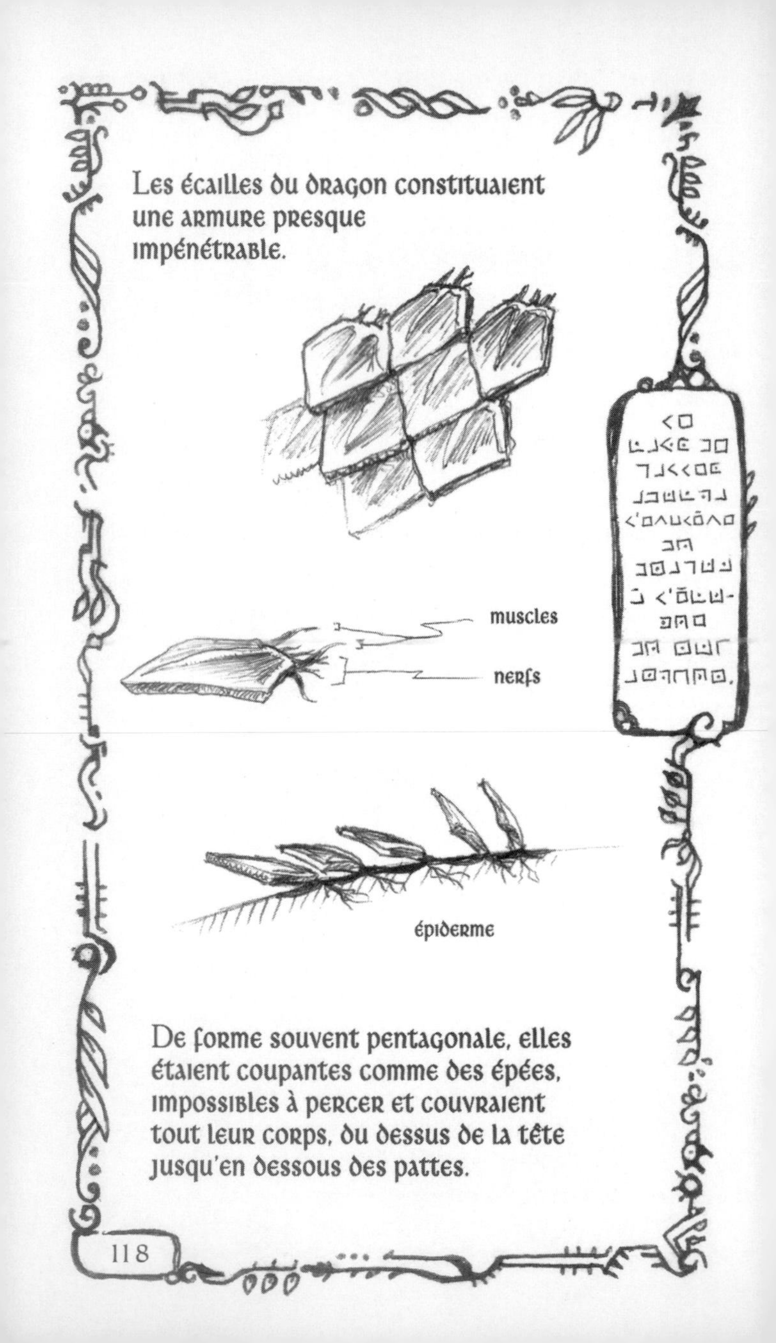

De forme souvent pentagonale, elles étaient coupantes comme des épées, impossibles à percer et couvraient tout leur corps, du dessus de la tête jusqu'en dessous des pattes.

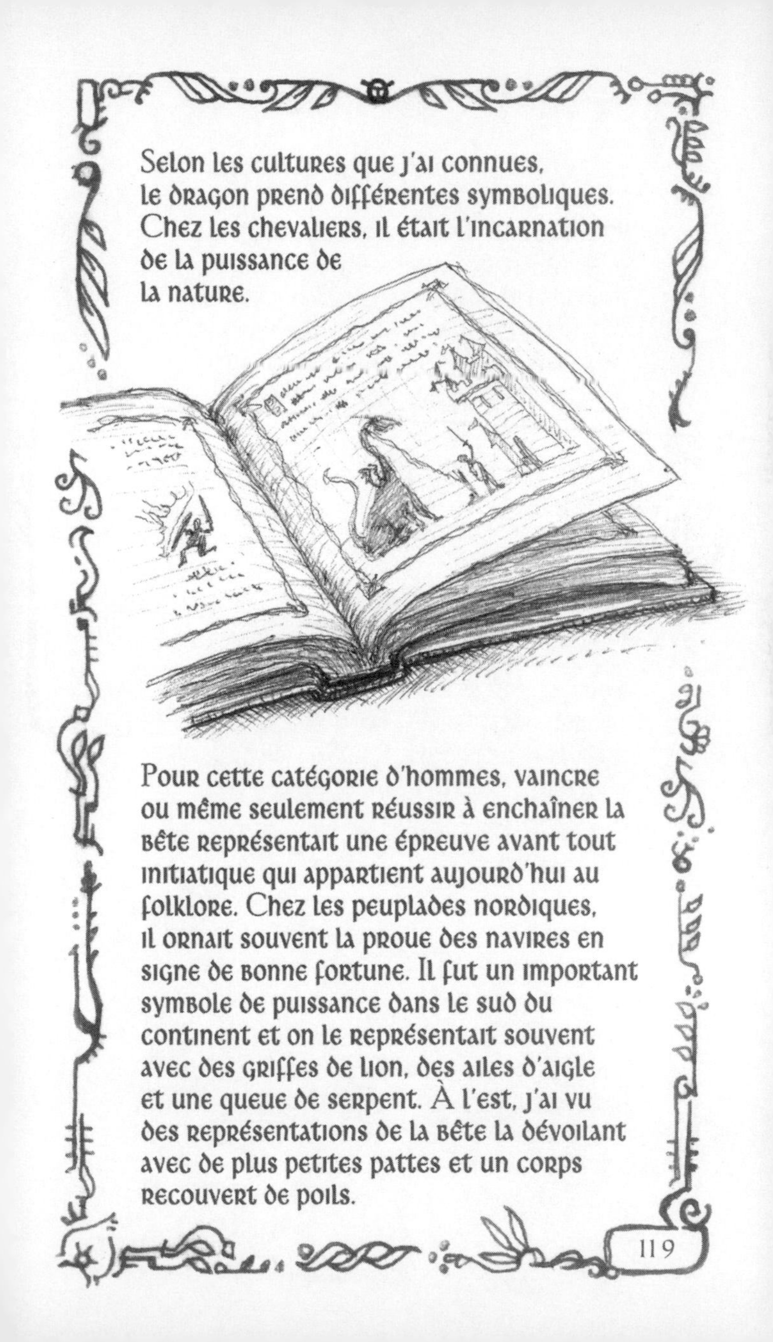

Selon les cultures que j'ai connues, le dragon prend différentes symboliques. Chez les chevaliers, il était l'incarnation de la puissance de la nature.

Pour cette catégorie d'hommes, vaincre ou même seulement réussir à enchaîner la bête représentait une épreuve avant tout initiatique qui appartient aujourd'hui au folklore. Chez les peuplades nordiques, il ornait souvent la proue des navires en signe de bonne fortune. Il fut un important symbole de puissance dans le sud du continent et on le représentait souvent avec des griffes de lion, des ailes d'aigle et une queue de serpent. À l'est, j'ai vu des représentations de la bête la dévoilant avec de plus petites pattes et un corps recouvert de poils.

Dans tous les récits et les anecdotes ainsi que dans les contes et les légendes entendus au cours de mon voyage, le dragon est toujours décrit comme étant une créature très rusée, avare et insolente. Cette bête connaissait bien la supériorité de sa race et savait que ses capacités physiques dominaient largement celles des autres espèces.

Plusieurs histoires situent leur naissance dans le pays de Sumer où la déesse Tiamat, premier grand dragon et grand-mère des dieux, aurait été vaincue par le demi-dieu Mardouk. De la dépouille de la déesse serait né le panthéon des divinités sumériennes.

Pour se reproduire, on raconte que les dragons devaient d'abord amasser un gigantesque trésor. Une fois ce nid constitué, la bête pouvait alors y pondre jusqu'à deux œufs.

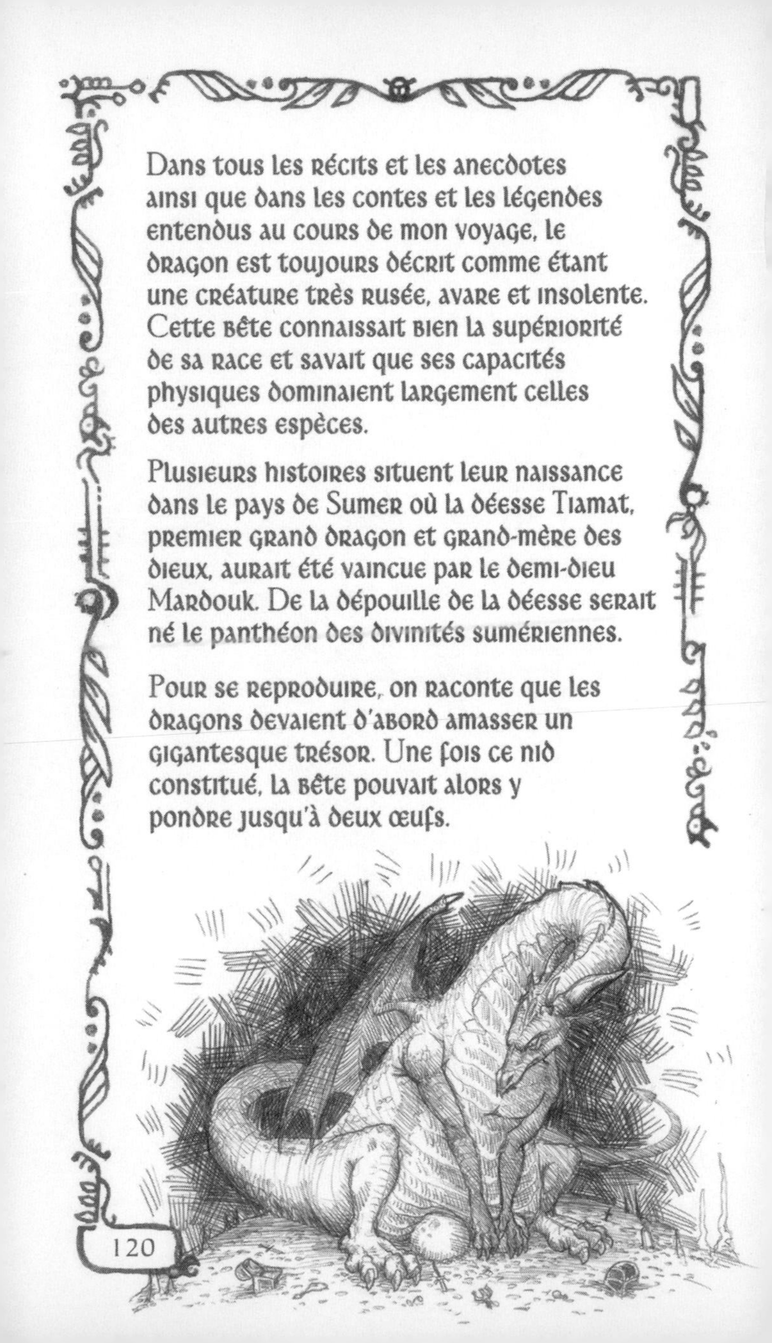

Plusieurs grands dragons ont foulé le sol de ce monde avant d'être exécutés.

Biscia vivait dans
l'île des Arkhous et son corps
rappelait celui d'un serpent géant.
La bête adorait attaquer en surprise
les lieux de culte et semer la panique
en dévorant les fidèles. Elle fût abattue
par un grand chevalier du Nord
du royaume d'Omain.

Fafnir, quant à lui, gardait un immense trésor dans les bois obscurs de la Forêt Rouge. Il fut tué par Siegfried qui, au contact de son sang, devint invulnérable et comprit du coup le langage des animaux.

Héraldie était une bête magnifique, toute rouge, qui symbolisait pour plusieurs la force et la vaillance. Moins sauvage que ses confrères, la créature aidait parfois les humains dans leurs travaux quotidiens et inspirait confiance aux chevaliers.

Elle fût assassinée par des tribus barbares désirant lui voler son trésor.

Gorynytch, des montagnes du Centre, fût impliqué dans plusieurs grandes batailles entre différents royaumes humains et humanoïdes. Sa traîtrise devint légendaire lorsque, dans une même bataille, il changea de camp trois fois.

Le prince Vladimir lui trancha la tête après que le dragon ait enlevé sa nièce pour demander une rançon.

Lindwurm n'avait apparemment ni pattes ni griffes et vivait au-delà du grand lac Ixion. Sa peau était recouverte d'écailles de couleur verte qui brillaient comme une deuxième lune dans la nuit. Symbole de mort et de maladie pour les centaures et les minotaures, on dit qu'il serait mort de vieillesse. Son corps et son trésor n'ont jamais été retrouvés.

Des noms de dragon comme Moin, Nidhogg, Graback, Grafvolluth et Tugarin hantent encore de nombreux contes fantastiques et mériteraient qu'on leur consacre un ouvrage entier.

Les Bonnets-Rouges

Ce type de gobelin réside dans les châteaux en ruines et les donjons désaffectés.

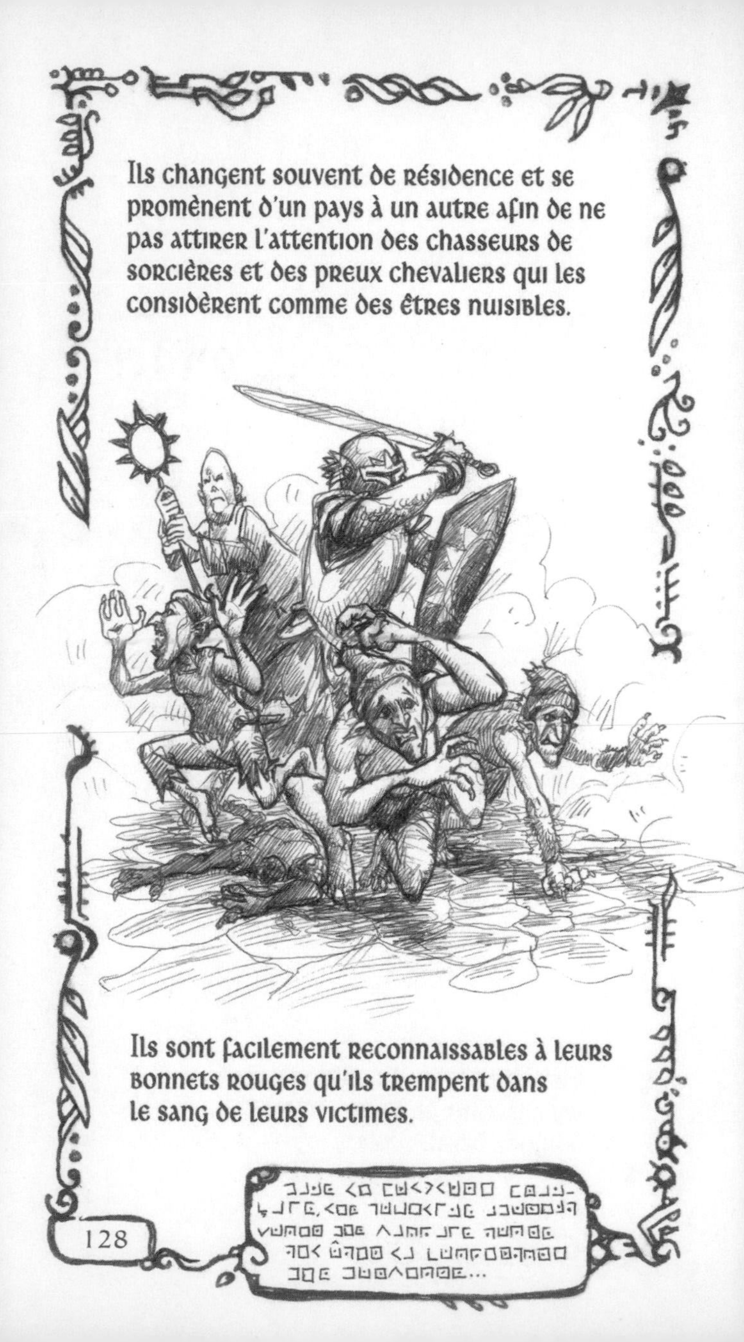

Ils changent souvent de résidence et se promènent d'un pays à un autre afin de ne pas attirer l'attention des chasseurs de sorcières et des preux chevaliers qui les considèrent comme des êtres nuisibles.

Ils sont facilement reconnaissables à leurs bonnets rouges qu'ils trempent dans le sang de leurs victimes.

De près, ils ressemblent à de petits vieillards trapus aux longs cheveux gris clairsemés. Leurs mains, composées de quatre gros doigts, sont semblables à des serres d'aigle et possèdent de très longues griffes. Ils s'en servent majoritairement pour attraper les rats et les autres vermines qui peuplent leurs lieux de résidence afin de s'en nourrir.

Leur mode de reproduction demeure un mystère, car on a vu des générations de bonnets-rouges apparaître soudainement, puis disparaître sans raison apparente. Je crois fermement que, comme les souris, les femelles bonnets-rouges peuvent donner naissance à de nombreux enfants dans un système de gestation très rapide. En quelques mois, les rejetons deviennent adultes et s'accouplent pour former de nouvelles familles.

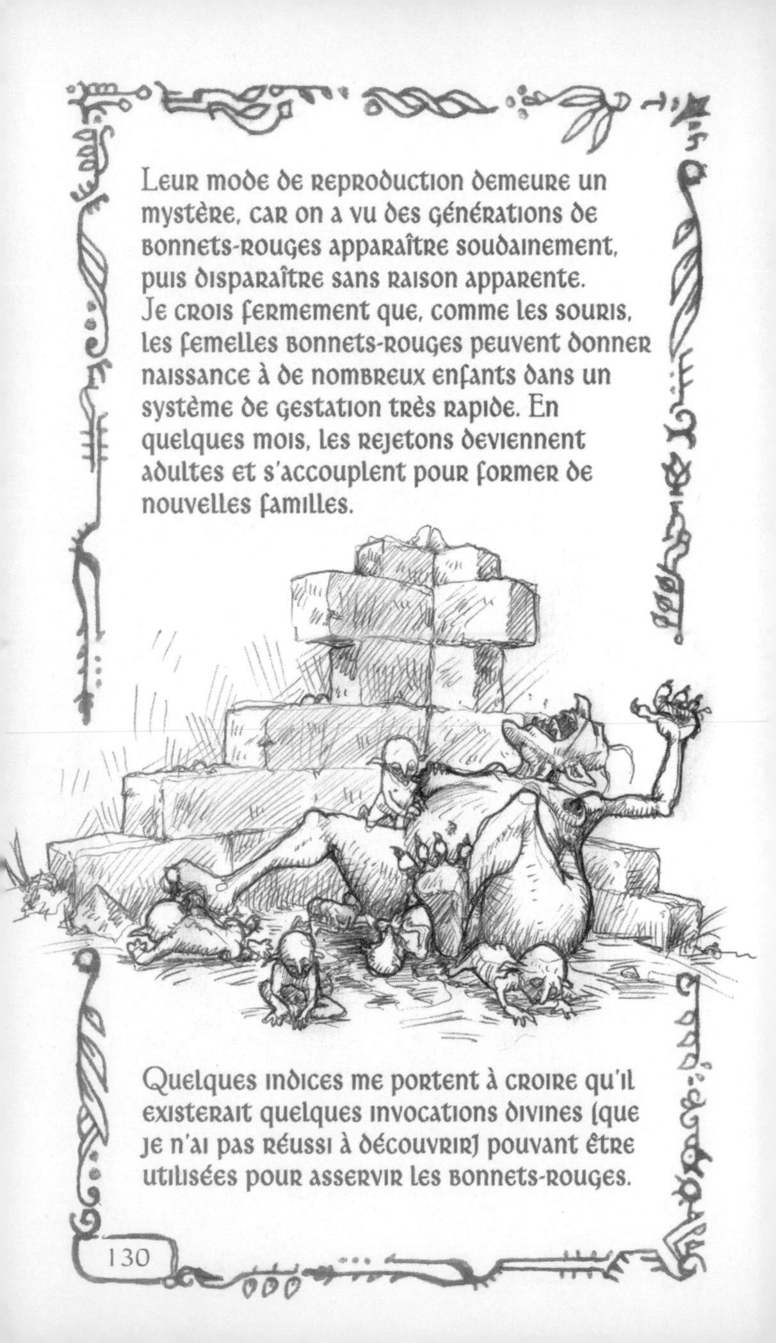

Quelques indices me portent à croire qu'il existerait quelques invocations divines (que je n'ai pas réussi à découvrir) pouvant être utilisées pour asservir les bonnets-rouges.

Les Géants

L'origine des géants est difficile à déterminer. De nombreux contes y font allusion et les identifient comme les premiers habitants du continent.

Solitaires, ils vivent exclusivement dans les hautes montagnes, loin des regards indiscrets. Ces humanoïdes de très grande taille sont territoriaux et détestent être dérangés. On raconte qu'ils ne sont plus que six à fouler le sol, les autres ayant été éliminés.

Caernavon est sûrement le plus laid et le plus répugnant des derniers géants de la Terre. Il est imprévisible, car stupide et violent.

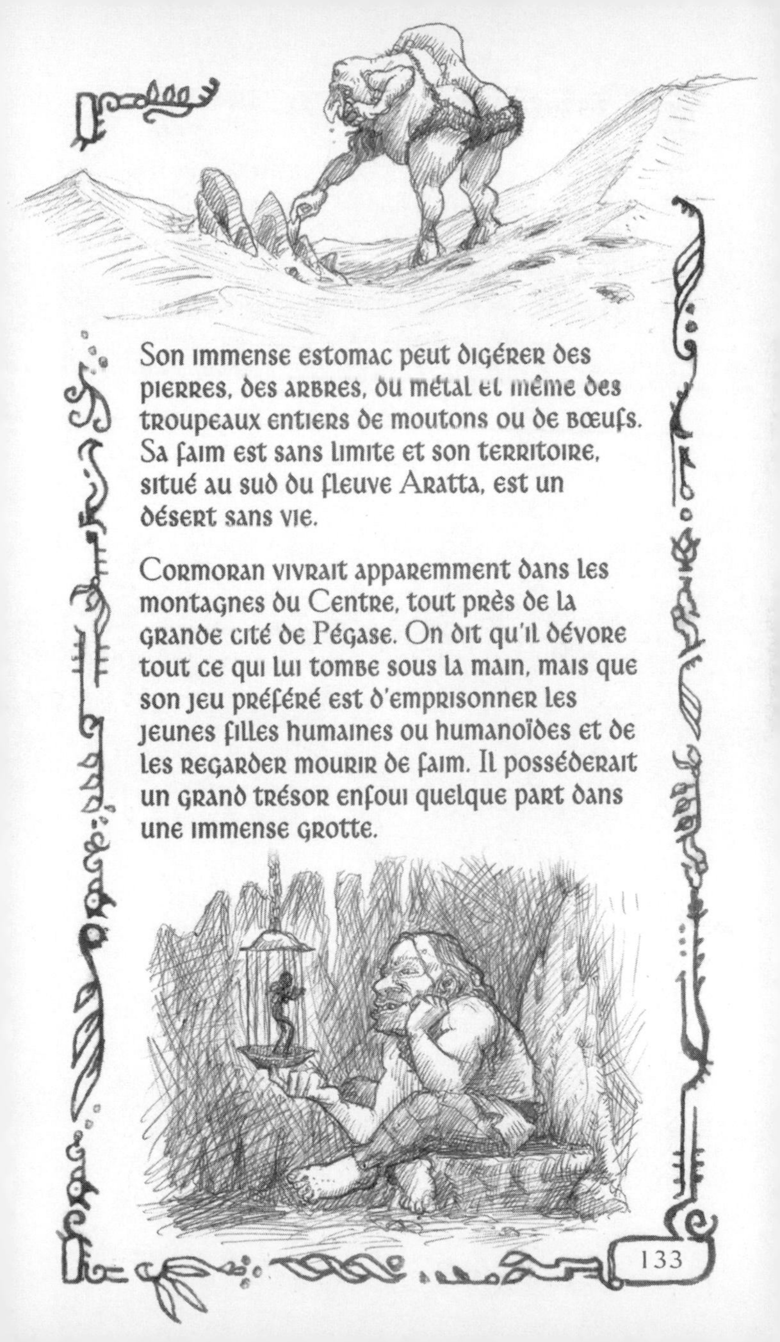

Son immense estomac peut digérer des pierres, des arbres, du métal et même des troupeaux entiers de moutons ou de bœufs. Sa faim est sans limite et son territoire, situé au sud du fleuve Aratta, est un désert sans vie.

Cormoran vivrait apparemment dans les montagnes du Centre, tout près de la grande cité de Pégase. On dit qu'il dévore tout ce qui lui tombe sous la main, mais que son jeu préféré est d'emprisonner les jeunes filles humaines ou humanoïdes et de les regarder mourir de faim. Il posséderait un grand trésor enfoui quelque part dans une immense grotte.

Blunderbore des montagnes de l'Ouest est, quant à lui, un empoisonneur émérite. Il s'amuse à corrompre l'eau des lacs et des rivières et habite une immense tour construite de ses mains en haut des Sommets Venteux.

Toujours en guerre contre les Chevaliers d'un côté ou les Vikings de l'autre, il adore la bataille et ne se gêne pas pour terroriser les villages environnants.

Cerne Abbas est un original qui revendique le territoire de l'Hyperborée.

On raconte qu'il taille dans le flanc des montagnes des sculptures le représentant dans diverses positions. Ceux qui l'ont rencontré se souviennent de ses brutales attaques à la massue qui visent à écraser la tête de ses adversaires.

Tywyn et Borth forment un géant à deux têtes qui sert de gardien à la cité nagas de Brogavati.

Les deux têtes ne font guère attention l'une à l'autre et se disputent constamment. Il suffit que Tywyn décide d'une chose pour que Borth le contredise. Il arrive souvent qu'ils se battent, s'assenant à tour de rôle des coups de poing au visage.

Conway, roi et maître des monts entourant le royaume d'Omain, est sûrement le plus fort de tous les géants, mais aussi le plus trouillard. Face à la menace, il déguerpit comme un lapin en arrachant tout sur son passage. Lorsqu'il trouve un peu de courage, ses attaques se font toujours de loin, où il lance d'immenses rochers ou encore des arbres qu'il déracine d'une seule main.

Les Korrigans

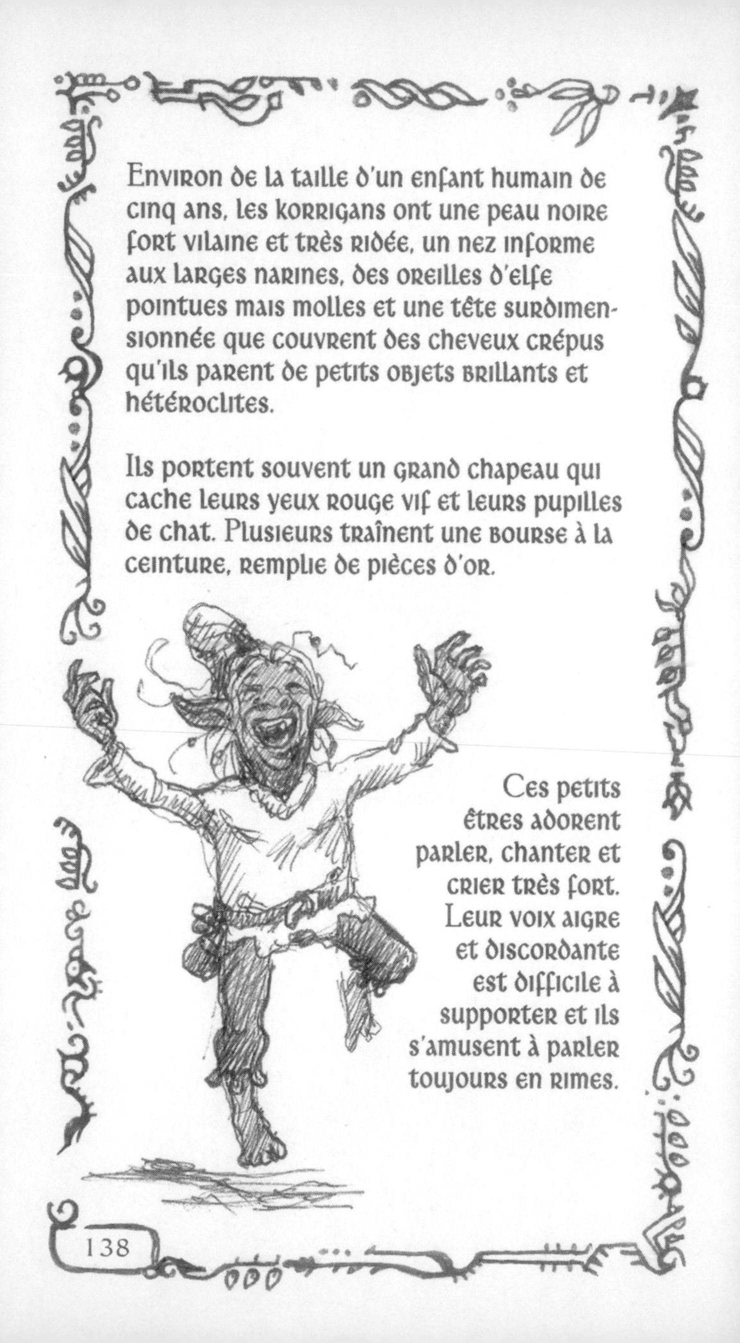

Environ de la taille d'un enfant humain de cinq ans, les korrigans ont une peau noire fort vilaine et très ridée, un nez informe aux larges narines, des oreilles d'elfe pointues mais molles et une tête surdimensionnée que couvrent des cheveux crépus qu'ils parent de petits objets brillants et hétéroclites.

Ils portent souvent un grand chapeau qui cache leurs yeux rouge vif et leurs pupilles de chat. Plusieurs traînent une bourse à la ceinture, remplie de pièces d'or.

Ces petits êtres adorent parler, chanter et crier très fort. Leur voix aigre et discordante est difficile à supporter et ils s'amusent à parler toujours en rimes.

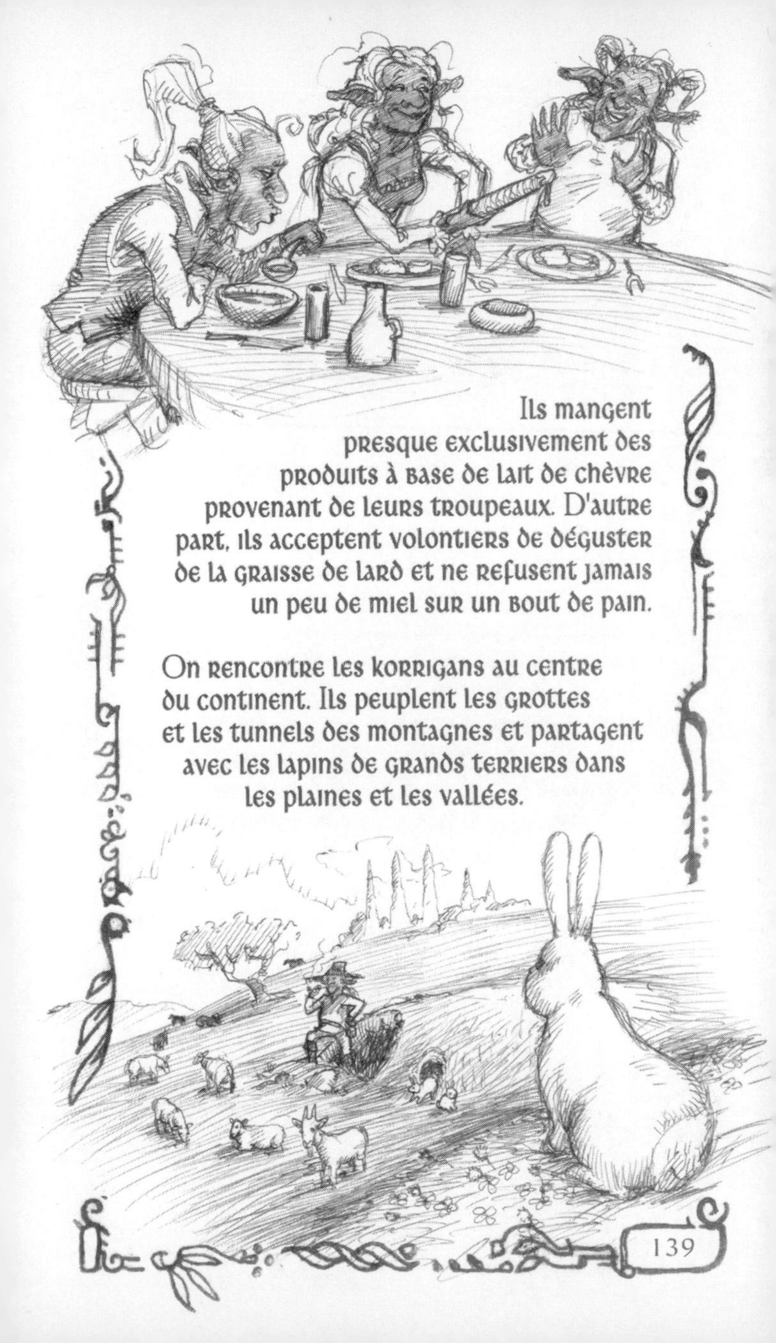

Ils mangent
presque exclusivement des
produits à base de lait de chèvre
provenant de leurs troupeaux. D'autre
part, ils acceptent volontiers de déguster
de la graisse de lard et ne refusent jamais
un peu de miel sur un bout de pain.

On rencontre les korrigans au centre
du continent. Ils peuplent les grottes
et les tunnels des montagnes et partagent
avec les lapins de grands terriers dans
les plaines et les vallées.

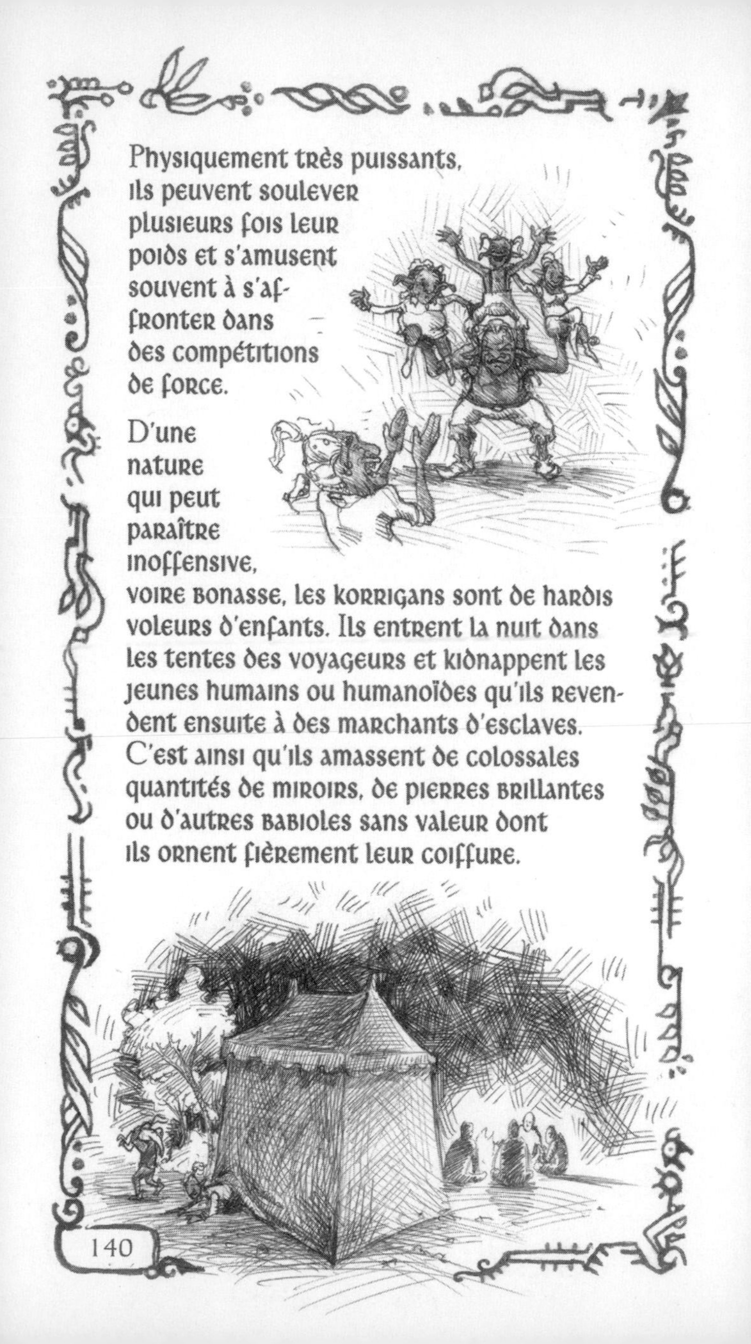

Physiquement très puissants, ils peuvent soulever plusieurs fois leur poids et s'amusent souvent à s'affronter dans des compétitions de force.

D'une nature qui peut paraître inoffensive, voire bonasse, les korrigans sont de hardis voleurs d'enfants. Ils entrent la nuit dans les tentes des voyageurs et kidnappent les jeunes humains ou humanoïdes qu'ils revendent ensuite à des marchants d'esclaves. C'est ainsi qu'ils amassent de colossales quantités de miroirs, de pierres brillantes ou d'autres babioles sans valeur dont ils ornent fièrement leur coiffure.

Les Slòigh

C'est ainsi que l'on nomme cette armée d'âmes maudites se déplaçant comme une nuée d'étourneaux autour de la pyramide et dans le grand désert de Mahikui.
Il est possible de les entendre, mais surtout de les apercevoir par les nuits claires et froides.

Un sluagh, le singulier de slòigh, est une âme de guerrier s'étant fait refuser le passage à bord du bateau de Charon pour aller à Braha, la grande cité des morts. Alors privés de leur jugement dernier, ces spectres errent sur la Terre jusqu'à ce qu'ils arrivent au désert de Mahikui et joignent les rangs d'un clan de slòigh.

Il existe plusieurs groupes qui se livrent d'impitoyables combats pour la possession du désert. Leurs batailles se font toujours de nuit et laissent sur les dunes de grandes marques de sang qui s'estompent lorsque apparaissent les premiers rayons du soleil.

Les slóigh se déplacent toujours la nuit et ne fréquentent que rarement les lieux habités. La proximité des êtres vivants les rend mal à l'aise. Ils ont le pouvoir de tuer les chiens, les chats et les moutons et ne s'en privent guère.

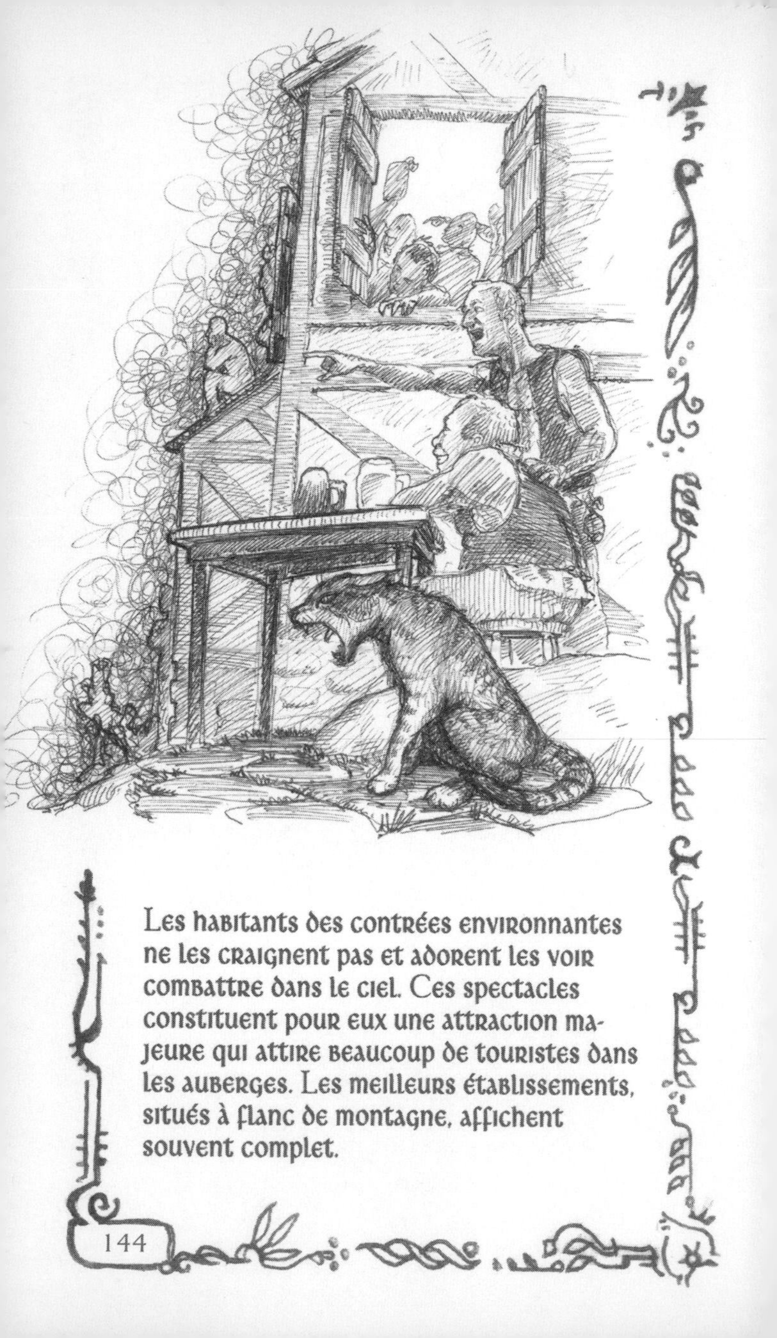

Les habitants des contrées environnantes ne les craignent pas et adorent les voir combattre dans le ciel. Ces spectacles constituent pour eux une attraction majeure qui attire beaucoup de touristes dans les auberges. Les meilleurs établissements, situés à flanc de montagne, affichent souvent complet.

Les Sorcières

Les sorcières sont généralement des femmes de race humaine très douées pour le surnaturel et l'étude du sacré. Elles pratiquent surtout la magie noire et puisent dans les forces des enfers leur énergie destructrice.

Souvent guidées par de malicieux démons, ces femmes recherchent la maîtrise des forces de l'obscur et sont prêtes à tout pour assouvir leurs sombres desseins.

Comme des savants, les sorcières consacrent toute leur vie à l'étude et à la recherche.

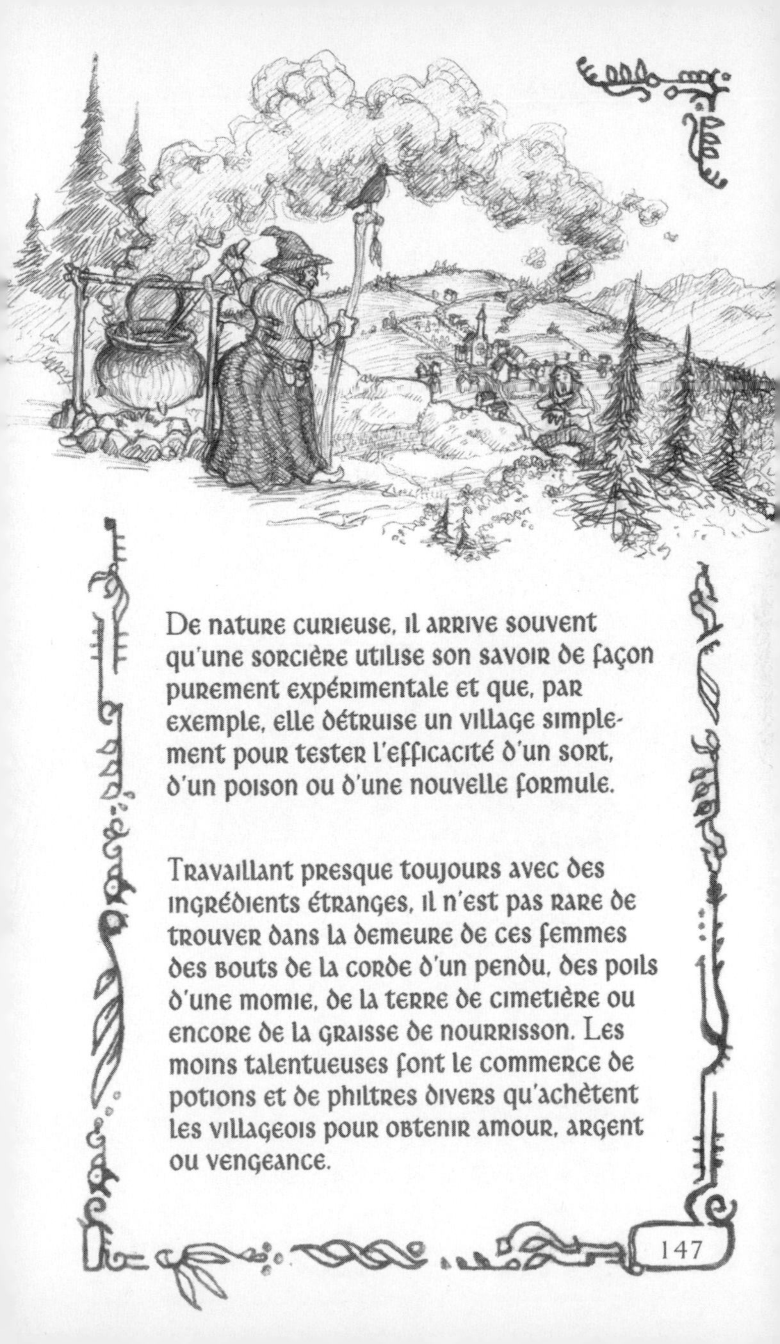

De nature curieuse, il arrive souvent qu'une sorcière utilise son savoir de façon purement expérimentale et que, par exemple, elle détruise un village simplement pour tester l'efficacité d'un sort, d'un poison ou d'une nouvelle formule.

Travaillant presque toujours avec des ingrédients étranges, il n'est pas rare de trouver dans la demeure de ces femmes des bouts de la corde d'un pendu, des poils d'une momie, de la terre de cimetière ou encore de la graisse de nourrisson. Les moins talentueuses font le commerce de potions et de philtres divers qu'achètent les villageois pour obtenir amour, argent ou vengeance.

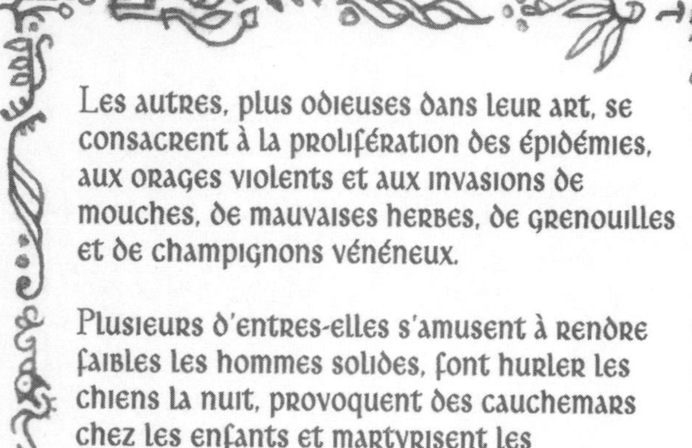

Les autres, plus odieuses dans leur art, se consacrent à la prolifération des épidémies, aux orages violents et aux invasions de mouches, de mauvaises herbes, de grenouilles et de champignons vénéneux.

Plusieurs d'entres-elles s'amusent à rendre faibles les hommes solides, font hurler les chiens la nuit, provoquent des cauchemars chez les enfants et martyrisent les vieillards déjà agonisants.

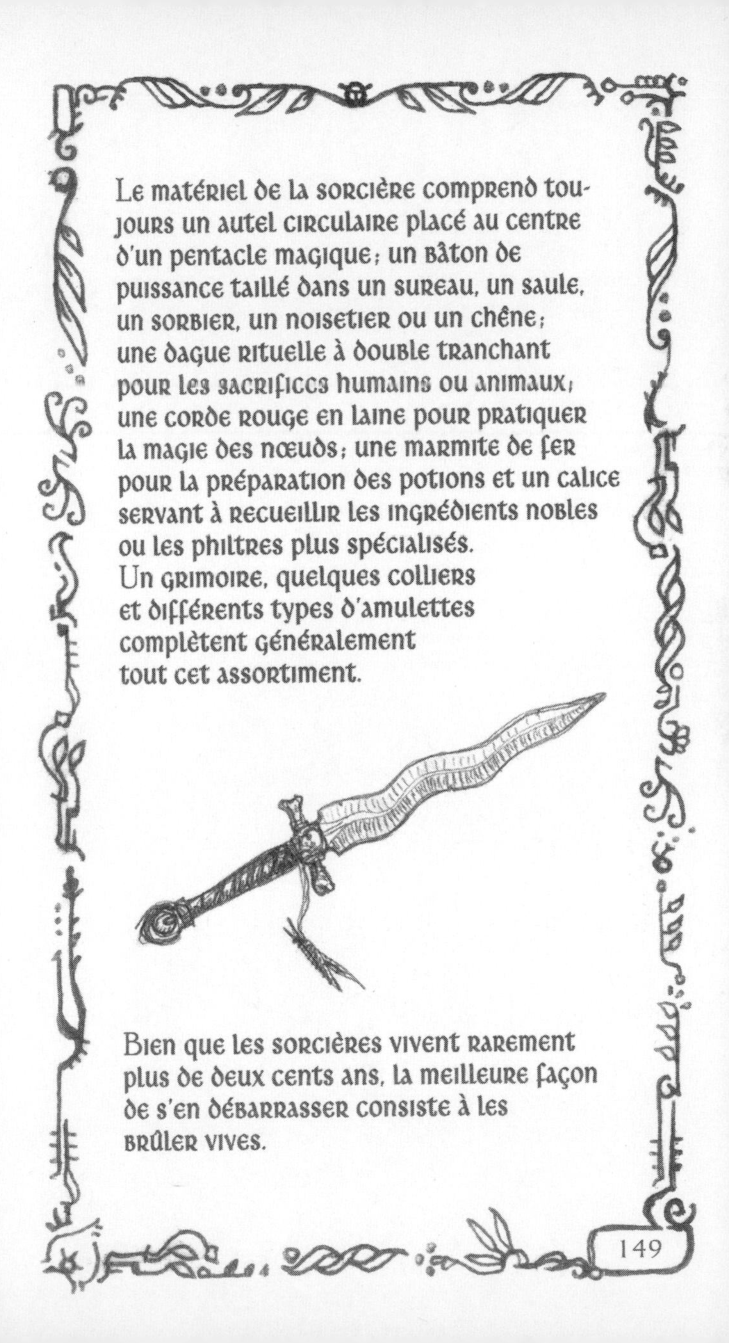

Le matériel de la sorcière comprend toujours un autel circulaire placé au centre d'un pentacle magique ; un bâton de puissance taillé dans un sureau, un saule, un sorbier, un noisetier ou un chêne ; une dague rituelle à double tranchant pour les sacrifices humains ou animaux ; une corde rouge en laine pour pratiquer la magie des nœuds ; une marmite de fer pour la préparation des potions et un calice servant à recueillir les ingrédients nobles ou les philtres plus spécialisés.
Un grimoire, quelques colliers et différents types d'amulettes complètent généralement tout cet assortiment.

Bien que les sorcières vivent rarement plus de deux cents ans, la meilleure façon de s'en débarrasser consiste à les brûler vives.

Les Dieux se Chamaillent

Alors que je faisais une pause dans une ville du royaume d'Omain, j'ai été témoin d'un événement anodin en apparence, mais qui m'a plongé dans une profonde perplexité. Dans un parc, un petit homme présentait un spectacle de marionnettes que j'ai retranscrit en entier pour vous permettre de constater l'ambiguïté du propos.

Ils étaient tous là. Tous les dieux de tous les mondes, de toutes les cultures, de toutes les espèces, de toutes les croyances et de tous les cultes s'étaient rassemblés pour discuter. D'un côté de l'assemblée siégeaient les représentants du mal; de l'autre, les émissaires du bien. Ce fut Brahman, dieu de l'esprit humain et gardien des âmes, qui prit le premier la parole. Il ouvrit les quatre bouches de ses quatre têtes et dit:

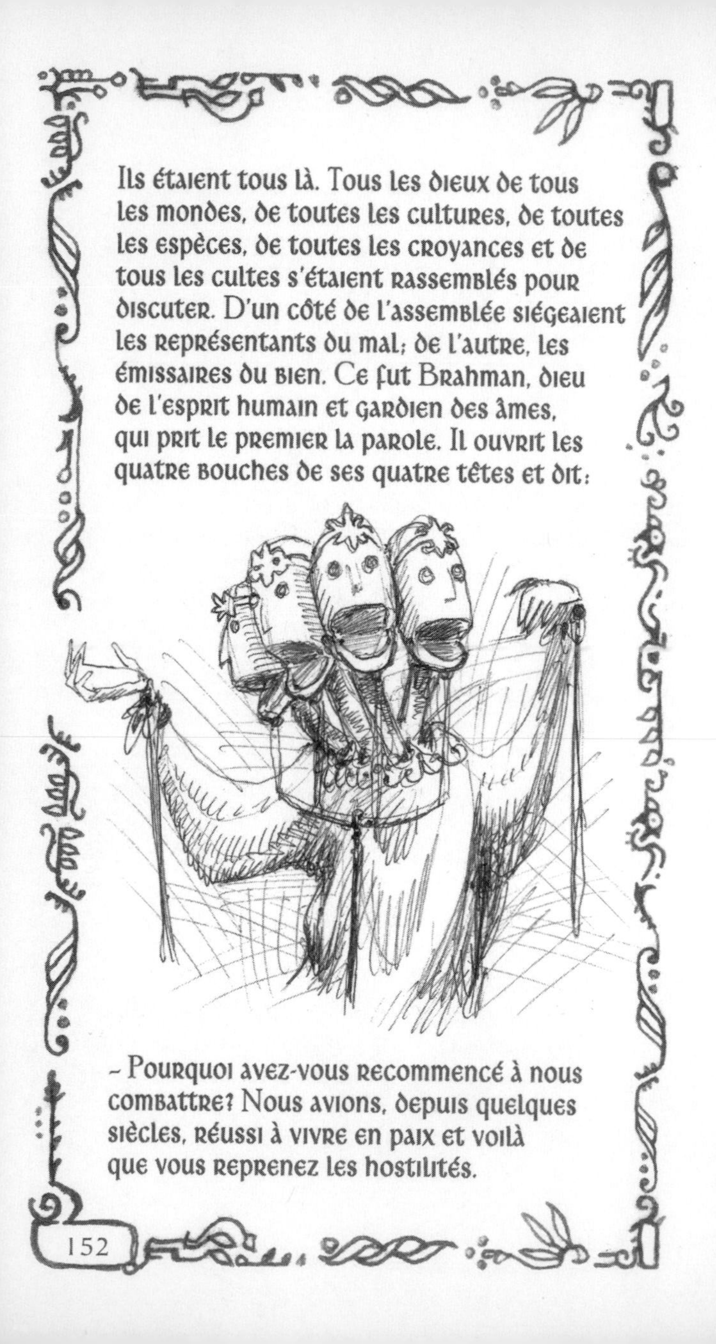

– Pourquoi avez-vous recommencé à nous combattre? Nous avions, depuis quelques siècles, réussi à vivre en paix et voilà que vous reprenez les hostilités.

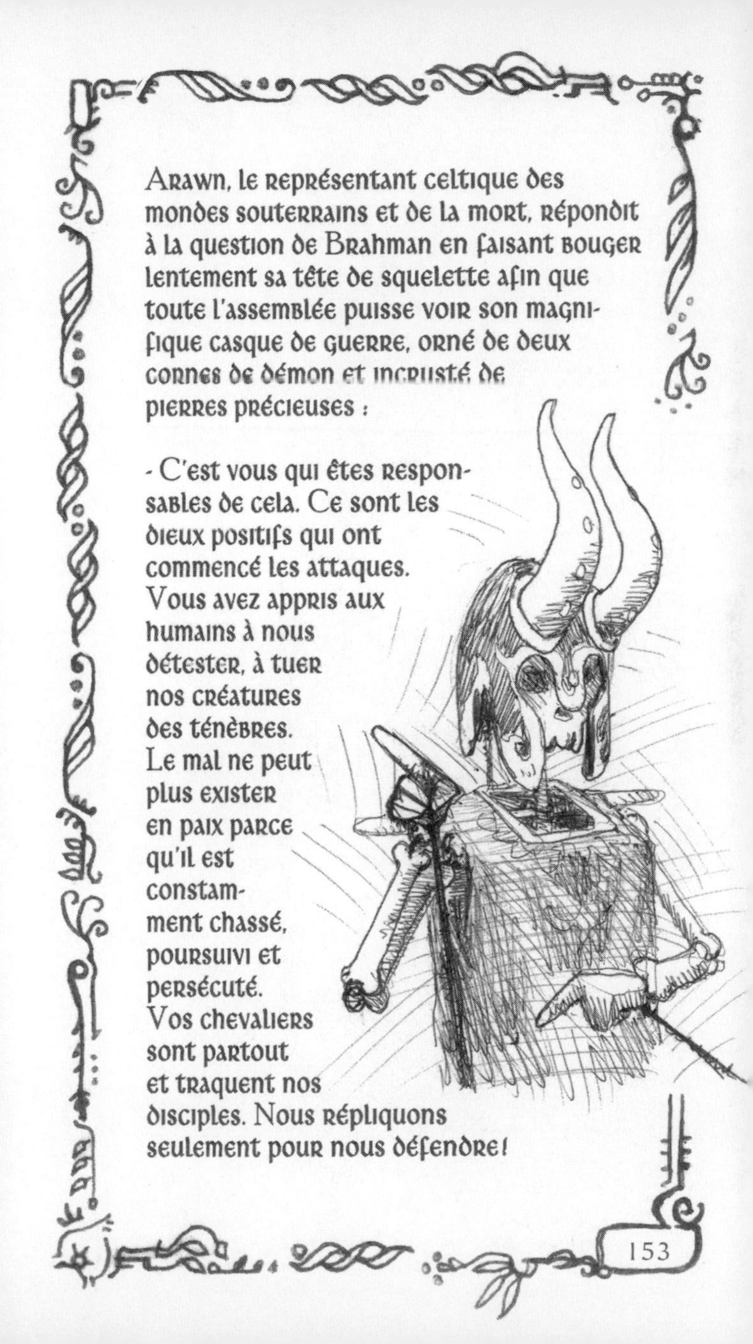

Arawn, le représentant celtique des mondes souterrains et de la mort, répondit à la question de Brahman en faisant bouger lentement sa tête de squelette afin que toute l'assemblée puisse voir son magnifique casque de guerre, orné de deux cornes de démon et incrusté de pierres précieuses :

- C'est vous qui êtes responsables de cela. Ce sont les dieux positifs qui ont commencé les attaques. Vous avez appris aux humains à nous détester, à tuer nos créatures des ténèbres. Le mal ne peut plus exister en paix parce qu'il est constamment chassé, poursuivi et persécuté. Vos chevaliers sont partout et traquent nos disciples. Nous répliquons seulement pour nous défendre !

Thor, dieu du tonnerre et de la foudre chez les hommes du Nord, frappa puissamment sur le sol avec son marteau de guerre et cria :

– Ne jouez pas à ce petit jeu avec moi ! Le mal et le bien existent en chaque homme, et la destinée des humains est de choisir entre ces deux pôles ! Vous savez très bien que ce choix ne peut en aucun cas être forcé ! L'homme suit les chemins que nous traçons pour lui ou s'en écarte. Les humains sont libres de penser et d'agir selon leur conscience. Nous sommes des guides, pas des dictateurs !

Loky, demi-frère de Thor, dont la principale occupation consistait à semer la discorde et le trouble, répondit :

–Calme-toi, mon grand frère. Si tu t'excites trop, tu risques de faire pleuvoir sur toute l'assemblée ! Je vois d'ailleurs un gros nuage noir se gonfler comme un ballon au-dessus de ta tête.

Les dieux du mal firent entendre un rire bruyant et mesquin. Ils regardèrent Thor devenir rouge de colère. Les moqueries de Loky le mettaient toujours hors de lui.

Shakuru, le fils de la lumière chez les hommes sauvages, demanda le silence. Il portait un masque de plumes et de peaux représentant la tête d'un aigle.

– Ce débat est inutile et stérile. Divisons-nous clairement ce monde et retournons chacun à ses occupations. Nous avons trop à faire sur cette terre. Ne perdons plus de temps à nous chamailler.

– Regardez qui parle! répondit Math Mathonwy. Chez les celtes, je suis celui par qui la magie noire existe. Le soleil est un frein à mon évolution. À cause de Shakuru, mes disciples stagnent et ne se satisfont pas de leurs petits pouvoirs. Ils en demandent davantage et je ne peux répondre à leur requête. Qu'arrive-t-il alors? Ils se désintéressent de moi, me renient et me ridiculisent. Shakuru a beaucoup à faire, oui, c'est évident! Il travaille tous les jours un peu plus à ma destruction et à mon anéantissement, voilà à quoi il occupe son temps!

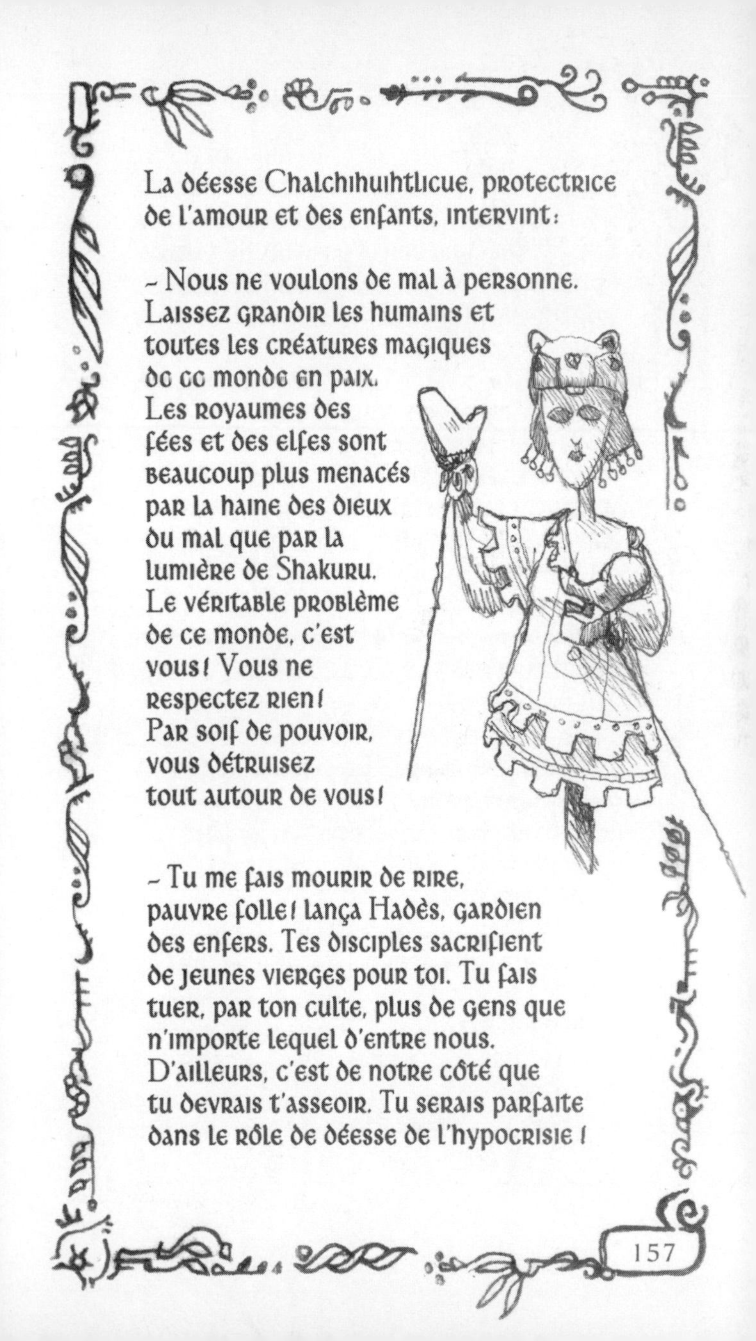

La déesse Chalchihuihtlicue, protectrice de l'amour et des enfants, intervint :

– Nous ne voulons de mal à personne. Laissez grandir les humains et toutes les créatures magiques de ce monde en paix. Les royaumes des fées et des elfes sont beaucoup plus menacés par la haine des dieux du mal que par la lumière de Shakuru. Le véritable problème de ce monde, c'est vous ! Vous ne respectez rien ! Par soif de pouvoir, vous détruisez tout autour de vous !

– Tu me fais mourir de rire, pauvre folle ! lança Hadès, gardien des enfers. Tes disciples sacrifient de jeunes vierges pour toi. Tu fais tuer, par ton culte, plus de gens que n'importe lequel d'entre nous. D'ailleurs, c'est de notre côté que tu devrais t'asseoir. Tu serais parfaite dans le rôle de déesse de l'hypocrisie !

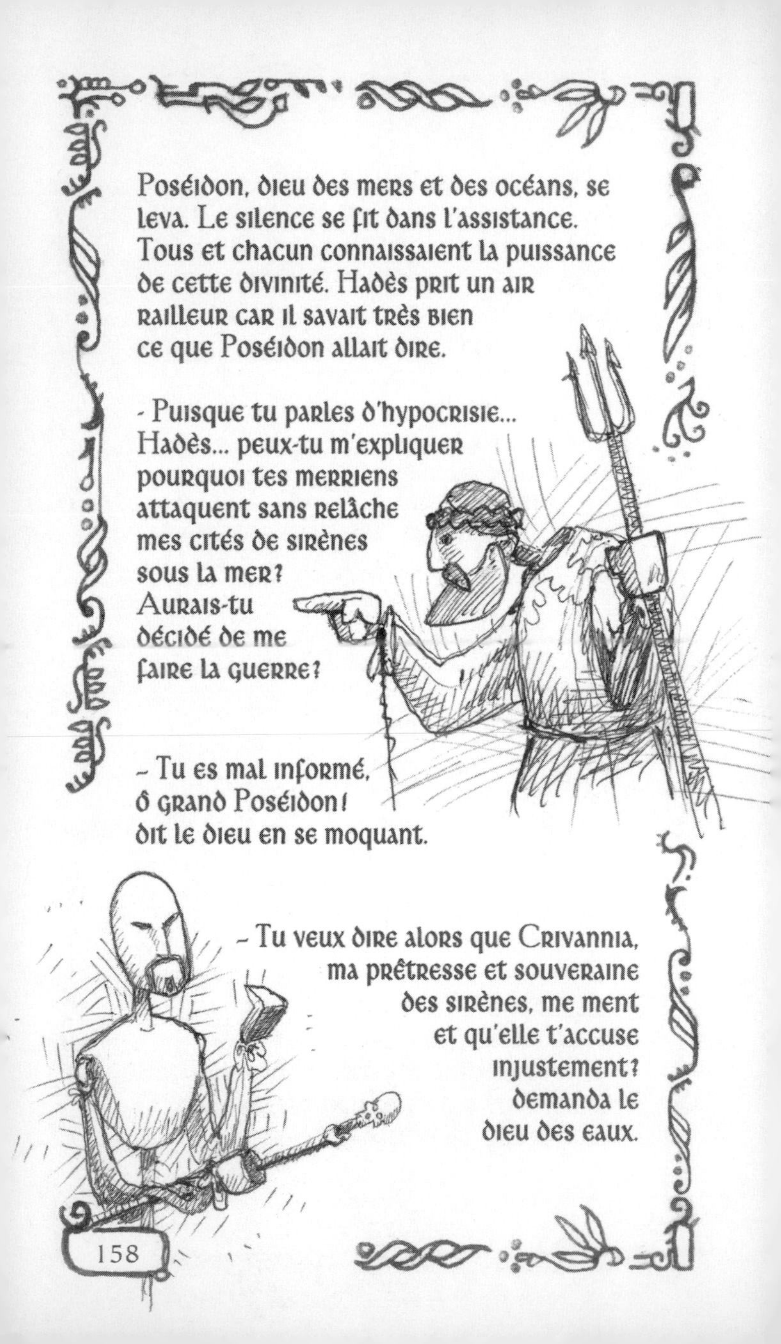

Poséidon, dieu des mers et des océans, se leva. Le silence se fit dans l'assistance. Tous et chacun connaissaient la puissance de cette divinité. Hadès prit un air railleur car il savait très bien ce que Poséidon allait dire.

- Puisque tu parles d'hypocrisie... Hadès... peux-tu m'expliquer pourquoi tes merriens attaquent sans relâche mes cités de sirènes sous la mer? Aurais-tu décidé de me faire la guerre?

- Tu es mal informé, ô grand Poséidon! dit le dieu en se moquant.

- Tu veux dire alors que Crivannia, ma prêtresse et souveraine des sirènes, me ment et qu'elle t'accuse injustement? demanda le dieu des eaux.

– Le roi des mers aurait-il encore des algues dans les oreilles? répondit Hadès. Oui! tu as bien compris, elle se rit de toi et tente de ternir ma réputation.

– Pourrais-tu, cher Hadès, puisque tu as réponse à tout, me dire pourquoi Seth, ton ami à tête de serpent, a offert un œuf de coq à l'un de ses magiciens?

Hadès, inquiet, tourna la tête et regarda Seth, assis un peu plus loin. Celui-ci feignit de n'avoir rien entendu.

– Pardon, on parle de moi? Mais qu'ai-je encore fait pour déplaire au sublime Poséidon?

Odin éclata :

– Cesse tes railleries, espèce de vipère, et dis-nous pourquoi tu as offert un œuf de coq à Karmakas, un de tes sorciers puants et répugnants !

– Un œuf de quoi ? fit Seth. Un œuf de coq ? Êtes-vous bien certain que ce ne sont pas les poules qui pondent des œufs ? Oeuf de coq ou œuf de poule, de toute façon, je déteste les œufs !

– Seth ! cesse de te moquer et réponds à la question ! hurla Odin.

Thoth, dieu de la science et de la médecine, se leva et demanda l'attention de tous. Il sortit un grand livre à la couverture dorée et se mit à en tourner frénétiquement les pages. Puis il ajusta ses petites lunettes rondes sur son museau de chien, pointa le doigt sur un paragraphe et dit:

– Selon mes recherches, Seth aurait effectivement volé un œuf de coq dans un des poulaillers de Liu, dieu et patron de l'agriculture. Il l'aurait donné au sorcier Karmakas afin que celui-ci fasse éclore un basilic. Je n'ai à convaincre personne ici du danger que présente ce petit animal.

– Selon nos lois, reprit Manannan Mac Lir, maître des lacs et des rivières, aucun objet et aucun enseignement du domaine des dieux ne doit être accessible aux hommes. Cette loi est en vigueur depuis que Dionysos livra aux humains les secrets de la fabrication du vin.

Seth soupira.

– Vous me connaissez bien mal... Jamais je ne donne quoi que ce soit gratuitement. Et si je le faisais, cela ne vous regarderait pas!

– Vous voulez la guerre? dit Poséidon. Eh bien, vous l'aurez! À partir de maintenant, les forces du bien vous livreront un combat sans merci pour la conquête de la Terre.

Shiva se leva pour parler. Cette incarnation du mal avait l'apparence physique d'un homme, mais possédait quatre bras et trois yeux.

–Nous acceptons avec plaisir! répliqua-t-il à Poséidon avec arrogance. La bagarre éclata alors dans le domaine des dieux. Ceux-ci se jetèrent les uns sur les autres avec autant de force que de rage.

Après quelques minutes à peine de combat, une lumière blanche et pure les sépara. Une dame, tout habillée de blanc, apparut au centre de la mêlée. Elle était jeune, d'une beauté et d'un charisme impressionnants. Sans prononcer un seul mot, les dieux regagnèrent leurs places respectives. D'une voix douce et mélodieuse, la Dame blanche déclara :

– Ainsi, vous vous êtes encore déclaré la guerre. Cela me rend triste. Pour vous, j'ai partagé le monde entre la nuit et le jour, entre les ténèbres et la lumière, entre le bien et le mal. Pourtant, malgré tous mes efforts pour vous unir dans un juste équilibre, vous vous disputez encore. Quand comprendrez-vous que vos actions sont stupides et stériles? Le bien existe dans le mal, et le mal est aussi présent dans toutes les créatures de bonté. Je vois bien que je ne peux pas compter sur vous pour assurer la pérennité du monde que j'ai créé. Je respecte votre décision de vous faire la guerre. C'est votre choix. Cependant, je dois veiller sur les plus faibles et les plus démunis de ce monde. Je recrée donc, en ce jour, le culte des porteurs de masques. J'espère que, cette fois, la leçon vous sera profitable.

La Dame blanche ferma les yeux. Dans un éclat de lumière éblouissant, l'assemblée fut dissoute. La guerre était désormais inévitable.

Le petit homme déclara que la représentation était terminée et qu'il faudrait être à l'affût pour connaître la suite. Les personnes assistant à ce spectacle se dispersèrent, un peu confuses par la fin abrupte de ce récit troublant.

Je n'ai pu m'empêcher de m'approcher du petit théâtre pour vérifier qui était derrière ces marionnettes.

Juste avant que le petit homme me chasse de cet endroit, j'ai cru apercevoir de petites fées manipulant les avatars des dieux.

À la suite de cette découverte, je me suis demandé si tout cela n'avait pas été une hallucination, considérant le poulet douteux mangé à l'heure du dîner.

Je vais définitivement rester à l'affût pour connaître la suite.

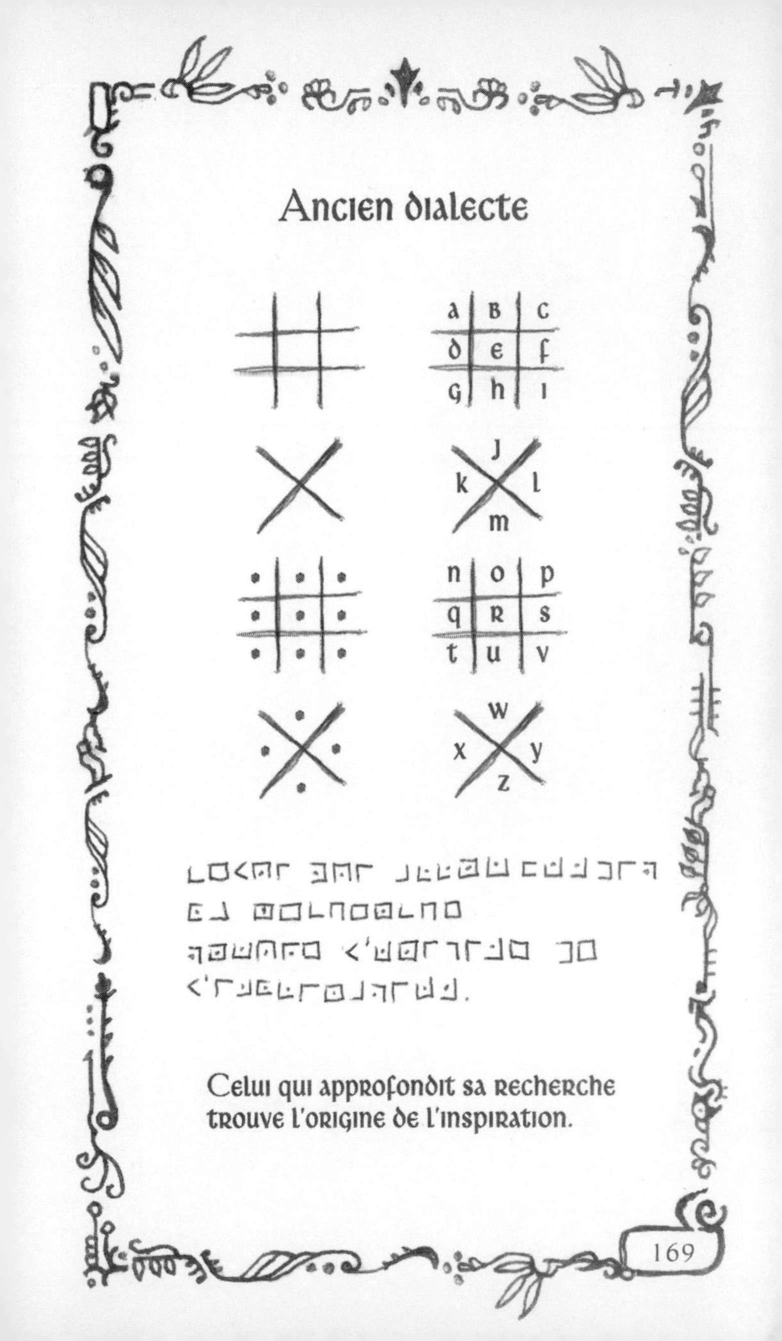

Ancien dialecte

a	b	c
d	e	f
g	h	i

j
k l
m

n	o	p
q	r	s
t	u	v

w
x y
z

Celui qui approfondit sa recherche trouve l'origine de l'inspiration.

Table des matières